B1

ALTER ego

MÉTHODE DE FRANÇAIS

3

D1468314

Emmanuelle DAILL
Pascale TRÉVISIOL

Professeurs à l'Alliance française de Paris

HACHETTE
Français langue étrangère
www.hachettefle.fr

Crédits photographiques

p. 6 © Éditions Métaillé, Paris, 2003 ; **p. 13** (gauche) © Image Source/Getty Images ; (centre) © Lisa Larsen/Getty Images ; (droite) © Darren Robb/Getty Images ; **p. 16** © Carlotta/agence Philippe Arnaud ; **p. 25** (gauche) © Michael Goldman/ Getty Images ; (droite) © Angela Wyant/Getty Images ; **p. 30** (haut) Guy Edwardes/Getty Images ; (bas) © Philippe Olivier D.R. ; **p. 37** (haut) © Sylvain Cambon ; (bas) © Alain Julien/AFP/Archives ; **p. 39** Olivier Laban-Matteï/AFP ; **p. 40** © Gérard Paris-Clavel/Ne pas plier ; **p. 52** © Cabu/Journal à Paris n° 20 ; **p. 54** © 2006, The M.C.Escher Company-Holland ; **p. 57** © Patrick Lux/dpa/Corbis ; **p. 68** (gauche) © Michael Kelley/Getty Images ; (centre) © Gandee Vasan/Getty Images ; (droite) © Richard l'Anson/Getty Images ; **p. 70** © CoLLecT-IF/GHB ; **p. 85** © Richard Passmore/Getty Images ; **p. 88** photo © Jo Magrean/ illustration © Ivan Terestchenko/Éditions Gallimard ; **p. 90** (gauche) © Sean Murphy/Getty Images ; (centre) © Wieteke Teppema/Getty Images ; (droite) © Frans Lemmens/Getty Images ; **p. 92** © Photothèque Hachette ; **p. 93** (haut) © Getty images ; (milieu) © Peter Hendrie/Getty Images ; (bas) © Blaine Harrington III/Corbis.

Pour leur autorisation de reproduction à titre gracieux, **tous nos remerciements à** : *Que Choisir* (p. 22), Gendarmerie de Montpellier (p. 25), AFS Vivre Sans Frontière (www.afs-fr.org) (p. 30), *ParuVendu* (p. 55), *Ouest-France* (p. 58), *Le Point* (p. 79), France-justice.org (p. 81), Éditions Gallimard (p. 88).

Nous avons fait notre possible pour obtenir les autorisations de reproduction des textes et documents publiés dans cet ouvrage. Dans le cas où des omissions ou des erreurs se seraient glissées dans nos références, nous y remédierions dans les éditions à venir. Dans certains cas, en l'absence de réponse des ayant-droits, la mention D.R. a été retenue. Leurs droits sont réservés aux éditions Hachette.

Conception graphique et couverture : Amarante

Illustrations : Bernard Villiot

Mise en pages : MÉDIAMAX

Pour découvrir nos nouveautés, consulter notre catalogue en ligne, contacter nos diffuseurs ou nous écrire, rendez-vous sur Internet : **www.hachettefle.fr**.

ISBN : 978-2-01-155513-7
© Hachette Livre 2007, 43, quai de Grenelle, F 75 905 Paris Cedex 15.

La vie au quotidien

1

Complétez cet article à l'aide de mots choisis dans la liste suivante. Faites les transformations nécessaires.

look – porter – soigné – vêtement – tenue vestimentaire – classique – présentation – apparence – image – négligé – pied – confort – adapté – excentrique – chic – code vestimentaire – s'habiller – fonction

Quand l'habit fait le moine...

« Dis-moi ce que tu .... et je te dirai qui tu es. » Loin de n'être que secondaire, la .... a une grande importance lors d'un entretien de recrutement. Elle fait partie des signes perçus par votre interlocuteur pour se faire une bonne ou une mauvaise .... de vous.

Rien de plus superficiel que le ...., pensez-vous ? Erreur ! Votre .... en dit parfois plus sur vous qu'un long discours. Lors d'un entretien d'embauche, votre .... joue donc un vrai rôle. Si certaines entreprises en parlent dans leurs annonces avec des formules du type « présentation .... exigée », d'autres ne l'affichent pas forcément, mais y accordent tout autant d'importance.

La tête de l'emploi

Un look .... à l'entreprise vous permettra d'abord de vous rassurer et en même temps d'indiquer à votre interlocuteur que vous vous fondez dans la culture de l'entreprise.

Prenez également en considération votre .... Cela peut paraître une évidence, mais on ne .... pas de la même façon quand on est banquier, informaticien ou créatif.

Si vous ignorez les .... en usage dans l'entreprise où vous vous rendez, restez ...., évitez les tenues .... Deux excès sont à éviter. Trop ...., vous prenez le risque que votre interlocuteur se sente dévalorisé. Trop ...., vous pourriez le choquer.

Il est aussi essentiel que vous soyez bien dans vos baskets... ou dans votre tailleur-pantalon ! Le .... est un élément très important dont il faut tenir compte : ne portez pas de .... qui vous gêneraient ou des chaussures auxquelles vous n'êtes pas habitué. Vous risqueriez de vous retrouver dans des situations embarrassantes et de vous concentrer sur vos .... qui vous font souffrir plutôt que sur les questions du recruteur !

D'après *Rebondir* n° 127, janvier 2006.

2

En écrivant un mél à son amie, Sophie a fait une fausse manipulation et les phrases de son message apparaissent dans le désordre. Remettez le mél en ordre.

- [ ] **a.** Si tu es disponible, on pourrait se voir ce week-end pour mettre tout ça au point. Que dis-tu d'un dîner à la maison samedi soir ? Tiens-moi au courant.

- [ ] **b.** Finalement, tu avais raison ! J'ai bien fait d'envoyer ma candidature : je viens de recevoir une convocation à un entretien pour le poste de vendeuse en librairie.

- [ ] **c.** Bises, Sophie

- [1] **d.** Salut Cécile,

- [ ] **e.** Je voulais donc te remercier, tes conseils pour la rédaction de la lettre m'ont été précieux, je crois que sans toi je n'y serais pas arrivée...

- [ ] **f.** Comme tu y as déjà travaillé, tu dois bien connaître cette librairie et tu pourras certainement m'aider.

- [ ] **g.** Je voudrais aussi savoir comment m'habiller ce jour-là. Les vendeurs ont un look plutôt jeune, mais je ne suis pas sûre que ce soit une bonne idée d'arriver en jean pour l'entretien !? Qu'en penses-tu ?

- [ ] **h.** Cependant, j'ai encore besoin de toi. Je souhaiterais avoir des renseignements sur l'entreprise. Je pense que c'est important de bien se préparer car lors de l'entretien, ils vont sûrement me poser des questions pour vérifier si je m'y suis déjà intéressée ou pas.

3

Vous êtes intéressé(e) par l'annonce ci-dessous. Avant de vous décider à suivre l'une des formations proposées, vous écrivez un mél à cette école pour demander des informations complémentaires.

Emploi

Vous êtes créatif ?

Vous aimez la mode ?

Vous avez souvent des idées hors du commun ?

Devenez un professionnel de la mode grâce à
Mode & co Paris :
STYLISTE – MODÉLISTE
CRÉATEUR DESIGN MODE – RESPONSABLE DE COLLECTION

> Pour recevoir plus d'informations

> Pour poser vos questions

> Pour vous inscrire à nos formations

> Écrivez-nous à *info@modecoparis.com*

Date :	Objet :
De :	
À :	

....
....
....
....
....
....

CARACTÉRISER DES PERSONNES ET DES COMPORTEMENTS

1

a) Lisez ces extraits du *Grand Livre des Prénoms* et complétez l'acrostiche proposé pour chaque prénom, avec des noms comme dans l'exemple.

« Les Adrien sont *aimables*, ils prennent le temps nécessaire lorsque l'on a besoin d'eux. Ils ont les pieds sur terre. Ils savent prendre des décisions, sont dynamiques mais peuvent parfois être nerveux. »

A _m a b i l i t é_
D _ _ _ o _ _ _ _ _ _ t _
R _ _ _ i _ _ _
I _ _ t _ _ _ _ v _
E _ _ _ g _ _
N _ _ _ _ s _ _ _

« Les Chloé *aiment plaisanter*. Elles sont honnêtes et on peut leur confier un secret. Elles savent être méthodiques et agir efficacement. »

C _ _ f _ _ _ _ _ _
H _u _m _o _u _r
L _ y _ _ t _
O _ _ _ _ _ s _ _ _ _
E _ _ _ _ c _ c _ _ _

b) À votre tour, faites l'acrostiche de votre prénom.

2

a) Lisez cet extrait de la BD *Les hommes qui nous font craquer* et trouvez un titre pour chaque dessin.

Exemple : Ceux qui nous trouvent toujours belles.

1. Ceux qui ....
....

2. Ceux qui ....
....

3. Ceux qui ....
....

1.

2.

3.

b) De la même manière, faites les portraits suivants.

1. La meilleure amie :

Celle qui ....

Celle que ....

Celle dont ....

Celle ....

2. Le patron idéal :

Celui qui ....

Celui que ....

Celui dont ....

Celui ....

3. Les beaux-parents idéaux :

Ceux qui ....

Ceux que ....

Ceux dont ....

Ceux ....

3
`GRAMMAIRE`

Replongez dans vos souvenirs et complétez les phrases suivantes.

1. Le plus beau jour de votre vie : *le jour où* ....

2. Votre pire souvenir : *la fois où* ....

3. Votre soirée la plus réussie : *le soir où* ....

4. Un moment de frayeur : *le moment où* ....

5. Votre plus belle expérience : *la fois où* ....

6. La période de l'histoire que vous préférez : *l'époque où* ....

4
`GRAMMAIRE`

Lisez ces courts témoignages. Complétez les phrases à l'aide de : *ceux qui, ce qui, ceux que, ce que, ce dont* **ou** *ceux dont.*

1. « .... m'importe dans un vêtement, c'est qu'il soit confortable. »

2. « Les habits que je préfère, ce sont .... je n'ai pas besoin de repasser mais surtout ....

je ne regrette pas l'achat, même après plusieurs mois ! »

3. « .... je n'aime pas dans la mode actuelle, ce sont ces pulls larges et sans forme et .... me

plaît, ce sont les couleurs vives que l'on trouve dans tous les modèles. »

4. « La mode ? C'est .... on parle le plus entre copines. »

5. « .... viennent dans cette boutique cherchent souvent le modèle unique, celui que tout le monde leur enviera. »

FAIRE DES ÉLOGES ET DES REPROCHES

5

Que diriez-vous à ces personnes dans ces situations ?

1.

2.

3.

4.

1. *Vous auriez pu...* ....

2. ....

3. ....

4. ....

6

Mettez-vous par deux et jouez les scènes.

1. À la maison, deux personnes d'une même famille : l'une félicite l'autre pour sa conduite lors d'un récent événement.

2. Dans une entreprise, un responsable reproche son comportement à un(e) employé(e). Attention, vous devrez utiliser la phrase suivante : « Ce que je vous reproche, c'est votre manque d'organisation. »

3. Inventez puis jouez une situation dans laquelle la phrase suivante devra être prononcée : « Ce que j'apprécie chez vous, c'est votre sens de l'humour. »

7

Vous avez de plus en plus de mal à supporter un(e) ami(e) que vous connaissez depuis longtemps. Vous n'avez plus envie de le/la voir. Sur une feuille séparée, rédigez la lettre dans laquelle vous lui expliquez votre décision.

1

a) Lisez ces points de vue sur la chirurgie esthétique et complétez le tableau ci-contre selon l'opinion exprimée.

	Pour		Contre
	+	+/–	–
L. Weil			
J-C. de Castelbajac			
F. Beigbeder			
François			
Aurélien			
Olivier			

Frédéric Beigbeder (écrivain)
« Ne pas vieillir, c'est le rêve éternel. Je trouve respectable qu'une femme s'offre un lifting ou du Botox. À condition de s'arrêter avant l'opération de trop. À Miami, par exemple, où toutes les filles se ressemblent, on peut dire que le clonage humain existe : ça s'appelle la chirurgie plastique. Sinon, je trouve que des faux seins bien faits, c'est assez érotique, de la même manière qu'un collier de perles ou de la belle lingerie. [...] C'est trop facile et politiquement correct de s'opposer au progrès au nom de dame Nature, qui est parfois terriblement cruelle. »

François, 50 ans
« Ma femme a un nez, comment dire, "spectaculaire", mais je ne supporterais pas qu'elle y touche, elle deviendrait banale ! »

Laurent Weil (Monsieur Cinéma sur Canal +)
« Je suis marié depuis 18 ans avec une femme sublime. Quand on évoque la chirurgie esthétique, j'en profite pour lui dire combien je suis contre. Je pense à ce film, *Le Miroir à deux faces*, où Bourvil est déstabilisé par le nouveau nez de Michèle Morgan. Dans le milieu du cinéma, cela devient problématique. Martin Scorsese a tiré la sonnette d'alarme[1] : les actrices de Hollywood ont toutes le même chirurgien, donc toutes le même visage. En France, on y arrive : tout Cannes avait le même décolleté ! »

Jean-Charles de Castelbajac (couturier)
« Tout le monde veut changer sa condition. [...] Le pire ? Se faire gonfler les lèvres : cette quête de sensualité se transforme en obscénité ! Sur la question de l'âge, j'ai de l'indulgence : ce monde est impitoyable. On comprend qu'une femme de 50 ans veuille avoir un visage conforme à sa jeunesse d'esprit. Personnellement, je vis avec une jeune femme tahitienne : le naturel à l'état pur ! »

Aurélien, 29 ans
« Avec mes potes[2], on sait que, dans 20 ans, nos femmes auront recours[3] à la chirurgie plastique. Alors on se dit qu'il vaut mieux s'y habituer tout de suite ! »

Olivier, 47 ans
« Un lifting, ça va, trois liftings, ça ne va plus du tout ! »

D'après *Elle*, juin 2005.

b) Lisez les opinions ci-dessous et indiquez si elles défendent (POUR) ou critiquent (CONTRE) la chirurgie esthétique. Relisez ensuite les extraits du magazine *Elle* et indiquez pour chaque phrase le nom de la personne qui pourrait la dire.

	POUR	CONTRE	QUI ?
1. *Il est normal que les femmes d'un certain âge veuillent retrouver un visage moins marqué.*	X		J-C. de Castelbajac
2. Un défaut physique peut participer au charme d'une personne.			
3. La chirurgie plastique, pourquoi pas, si on sait se limiter !			
4. La nature est parfois mal faite... si on peut la corriger, tant mieux !			
5. Les femmes liftées ou transformées par la chirurgie plastique se ressemblent toutes.			
6. Ce type de chirurgie peut rendre une femme plus attirante.			
7. La chirurgie esthétique se banalise de plus en plus : il faut savoir vivre avec son temps.			

1. tirer la sonnette d'alarme : alerter sur un problème.
2. potes (familier) : copains.
3. avoir recours à : utiliser, faire appel à.

2

Et vous, que pensez-vous de la chirurgie esthétique ? Vous participez à un forum de discussion sur ce thème.
À l'aide des arguments des témoignages de l'activité 1, donnez votre point de vue en cinq ou six lignes.

Exemple : Je suis d'accord avec Laurent, je trouve que...

....

....

....

....

....

....

3

Décrivez ces deux personnes avant et après quelques opérations de chirurgie esthétique.
Quelle(s) transformation(s) remarquez-vous ?

Exemple : Il s'est fait enlever une verrue.

Avant   Après

Il ....

....

....

Avant   Après

Elle ....

....

....

Outils *pour...*

DONNER DES CONSEILS

1

Pour mieux vivre et travailler ensemble, un centre de formation en relations humaines et professionnelles a déterminé six profils types de collègues. Votre voisin a des problèmes avec un(e) collègue correspondant à l'un de ces profils. Vous lui donnez des conseils pour mieux s'entendre avec lui/elle.

Exemple : Avec un collègue « promoteur », il faut que tu apprennes à garder tes distances.

Les promoteurs
Très adaptables, ils peuvent s'entendre avec tout le monde. Chaleureux, charmeurs, persuasifs, ce sont des séducteurs. Ils aiment les « challenges ». Leur défaut ? Ils sont facilement manipulateurs.

Les empathiques
Chaleureux, sensibles, attentifs au bien-être de chacun. Ils ont besoin d'être reconnus pour ce qu'ils sont, plus que pour ce qu'ils font. Ils aiment qu'on les prenne par les sentiments.

Les rebelles
Spontanés, ludiques, créatifs, ils savent apprécier l'instant présent et saisir la balle au bond[1]. Le contact ne les effraie pas. Ils le recherchent volontiers et se montrent disposés à collaborer, pourvu qu'on ne leur demande pas les infos de but en blanc[2]. La plaisanterie est leur porte d'entrée.

Les rêveurs
Calmes, réfléchis, imaginatifs et doux. Leur principal besoin psychologique est la solitude. Aller déjeuner seul ne les dérange pas, au contraire. Ni d'être isolés du reste du groupe. La difficulté (pour eux comme pour nous) est qu'on ne les croit pas très sociables.

Les travaillomanes
Organisés, logiques, responsables. Ils savent structurer leur temps. Souvent, ce sont des chefs que le relationnel intéresse peu.

Les persévérants
Classiques, consciencieux. Ils ont des jugements tranchés sur tout. Ils parlent de tous les sujets qui fâchent. Ce qu'ils apprécient ? Qu'on accepte le débat d'idées.

1. saisir la balle au bond : profiter d'une occasion favorable.
2. de but en blanc : brusquement, de manière abrupte.

D'après *Avantages*, mai 2006.

2

Classez ces conseils donnés à un ami, du plus direct au plus diplomate.

a. Tu devrais faire des efforts : arriver systématiquement en retard, ça donne une mauvaise image de toi, tu sais.

b. Tu pourrais faire un effort, quand même !

c. À ta place, j'avancerais ma montre de 10 minutes...

d. La prochaine fois, arrive à l'heure, compris ?

e. Il faudrait que tu sois là à l'heure, je ne peux pas t'attendre.

f. Il ne faut plus que tu arrives en retard, d'accord ?

3

Sur une feuille séparée, répondez au mél de Sophie (activité 2 p. 5) afin de lui donner des conseils pour son entretien d'embauche.

EXPRIMER DES SENTIMENTS

4

Complétez les phrases en donnant plusieurs éléments de réponse, comme dans l'exemple.

Exemple : Ce qui me rend heureux, c'est de passer des vacances à la mer, de retrouver mes ami(e)s autour d'un bon repas.

1. Ce qui m'émeut, c'est ....

2. Ce qui me dégoûte, c'est ....

3. Ce qui m'effraie, c'est ....

4. Ce qui me surprend, c'est ....

5. Ce qui me déçoit, c'est ....

6. Ce qui me réjouit, c'est ....

5

Sous chaque *smiley*, notez l'adjectif correspondant au sentiment exprimé en choisissant dans la liste. Plusieurs réponses sont parfois possibles.

heureux – étonné – déçu – inquiet – méfiant – soulagé – furieux – intéressé – dégoûté – rêveur – jaloux – satisfait – effrayé – triste – choqué – frustré – curieux – exaspéré – désespéré – indifférent – indécis

1. ....   **2.** ....   **3.** ....   **4.** ....   **5.** ....

Exemple :   triste   ....

6. ....   **7.** ....   **8.** ....   **9.** ....   **10.** ....

....

6

Faites une seule phrase en employant le subjonctif (présent/passé) ou l'infinitif (présent/passé).

Exemple : Elle a été reçue au concours d'entrée de cette école de mode. Elle est soulagée.
  ➔ Elle est soulagée d'avoir été reçue au concours d'entrée de cette école de mode.

1. Je ne peux pas aller chez mes amis ce week-end. Je suis déçue.

  ➔ ....

2. Tu as raté ton train ? Tu as dû être furieuse.

  ➔ ....

3. Elle a obtenu de bons résultats scolaires. Ses parents en sont fiers.

  ➔ ....

4. On lui a proposé une promotion dans son travail. Il est bien content.

  ➔ ....

5. Vous allez passer une semaine au soleil ? Nous en sommes ravis pour vous.

  ➔ ....

7

Que dites-vous dans ces situations ?

Exemple : Une de vos amies vient de rencontrer l'homme de ses rêves.
➜ *Je suis content(e) que tu aies enfin rencontré l'homme de tes rêves !*

1. Vos parents sont partis en vacances il y a une semaine et ne vous ont pas appelé(e) depuis leur départ.

➜ ....

2. Votre fille n'a pas été admise au concours d'entrée d'une grande école de commerce.

➜ ....

3. Une amie vous annonce qu'elle attend un bébé.

➜ ....

4. Vos amis ne peuvent pas partir avec vous en vacances.

➜ ....

5. Votre compagnon/compagne part 10 jours en mission aux Seychelles.

➜ ....

6. Votre belle-mère s'invite chez vous pour toutes les vacances, sans vous prévenir.

➜ ....

8

Christine a adressé cette lettre au courrier des lecteurs du magazine *Parents*. Sur une feuille séparée, reformulez sa lettre en employant le subjonctif (présent/passé) ou l'infinitif (présent/passé) après les expressions soulignées. Faites les transformations nécessaires.

Courrier des lecteurs

Ma fille qui vient d'avoir 18 ans est folle des piercings et tatouages en tous genres !... Elle voudrait se faire percer la langue et tatouer une tête de mort sur l'épaule. Je suis <u>inquiète</u> : elle fait comme ses copines et ne se rend pas compte du danger de ces pratiques... Elle me répond que c'est le style qui lui correspond ! Je suis également <u>furieuse</u> car elle a déjà pris rendez-vous chez un tatoueur sans me consulter. J'ai essayé de la faire changer d'avis mais sans succès : je n'ai plus aucune influence sur elle et je le <u>regrette</u>. Quant à son père, il est <u>exaspéré</u> : elle ne nous obéit plus et n'en fait qu'à sa tête ! Nous avons <u>peur</u> parce qu'elle n'est pas assez mûre pour tenter ce genre d'expérience et elle peut tomber entre de mauvaises mains. Qu'en pensez-vous ?

Christine, 45 ans

9

À partir des photos, décrivez les sentiments des personnages et imaginez la situation en quelques lignes.

Exemple : 1. Elle est triste de s'être disputée avec son copain...

1.

2.

3.

La vie au quotidien

1

Complétez les phrases en choisissant dans la liste suivante l'expression qui convient. Faites les transformations nécessaires. Plusieurs solutions sont parfois possibles.

faire des folies – claquer de l'argent – panier percé – jeter son argent par les fenêtres – se serrer la ceinture – acheter les yeux fermés – avoir du mal à joindre les deux bouts – être à découvert – être dans le rouge – avoir des fins de mois difficiles

1. « Chéri, tu .... pour mon anniversaire, tous ces bijoux, non franchement, il ne fallait pas ! En plus, ces temps-ci, on ...., ce n'est pas très raisonnable ! »

2. « Elle .... au casino et aux courses de chevaux, et une fois qu'elle a dépensé toute sa paie, elle se plaint auprès de ses amis d'.. ! »

3. « J'ai reçu un coup de fil de ma banque, il paraît que mon compte ...., il va falloir que je fasse attention et que je .... »

4. « C'est un couple très uni et d'accord sur beaucoup de points, mais par rapport à l'argent, ils sont diamétralement opposés : lui est un véritable .... et a tendance à ...., alors qu'elle est prête à .... et à manger des patates tous les jours s'il le faut pour pouvoir faire des économies. »

5. « Ils sont sûrs de trouver de bons produits dans cette boutique bio, ils .... »

2

Associez les expressions aux icônes correspondantes.

Actions

1. mettre à la corbeille

2. annuler/revenir en arrière

3. cliquer sur...

4. imprimer la commande

5. confirmer la commande

6. entrer son mot de passe

7. agrandir l'image

8. ajouter au panier

9. payer en mode sécurisé

10. enregistrer

3

Lisez les trois méls de réclamation suivants. Identifiez l'information manquante (description du problème, demande de réparation ou rappel de la date et des références du service impliqué) et complétez en fonction.

1.

Envoyer maintenant · Options · Insérer · Catégories

Madame, Monsieur,

....

....

À mon arrivée à l'aéroport, j'ai récupéré ma valise en mauvais état : elle a été abîmée à plusieurs endroits et certains de mes effets personnels ont été détériorés (cf. photos en pièce jointe).
Je vous serais donc reconnaissante de me dédommager pour le préjudice subi. Je reste à votre disposition pour vous fournir les informations dont vous aurez sans doute besoin pour pouvoir procéder au remboursement.
Avec mes remerciements anticipés.
Martine Jolivet

2.

Envoyer maintenant · Options · Insérer · Catégories

Bonjour,
Le 25 septembre dernier, j'ai commandé des chaussures par l'intermédiaire de votre site Internet.

....

....

Ayant payé au moment de ma commande, je souhaiterais être remboursé et dédommagé en recevant, par exemple, une réduction sur mon prochain achat. Je vous retourne la paire de chaussures dès aujourd'hui.
Dans l'attente d'une réponse rapide, je vous remercie par avance de l'attention que vous porterez à ma requête.
Laurent Lefèvre

3.

Envoyer maintenant · Options · Insérer · Catégories

Madame, Monsieur,
Les trois CD achetés en ligne sur votre site le 7 mai dernier viennent de m'être livrés. L'un d'eux, *La Septième Vague* de Laurent Voulzy, ne fonctionne pas : j'ai essayé de le lire et même d'en faire une copie à usage privé, mais en vain ! Ces tentatives ont toutes deux échoué.

....

....

Merci de bien vouloir faire le nécessaire. Cordialement.
Lucie Duval

4

Vous venez de recevoir un ou plusieurs objets achetés en ligne. Le colis reçu ne correspond pas à vos attentes. Sur une feuille séparée, écrivez un mél de réclamation pour exprimer votre mécontentement et demander réparation pour le préjudice subi.

5

Lisez les portraits suivants de quatre types de clientes, puis complétez le tableau pour retrouver la façon de dépenser, la phrase type et le dessin correspondant à chacune d'entre elles.

Clientes : à chacune son style

1. 2. 3. 4.

La branchée
Elle est célibataire et étudiante.
Elle est citadine et anticonformiste. La vendeuse la repère facilement à ses cheveux... rouges en pétard. Elle aime la mode avant-garde, sexy, drôle ! Jean-Paul Gaultier est son dieu. Elle déteste le déjà-vu, le trop-porté, bref tout ce que tout le monde a déjà.

La « superwoman »
Elle est célibataire ou mariée, avec ou sans enfants (deux au maximum). Elle est cadre.
Elle est sûre d'elle et dominatrice. Elle est toujours pressée.
Elle aime les vêtements multifonctionnels, la même robe doit pouvoir épater un client et séduire un homme.

La BCBG (Bon Chic, Bon Genre)
Elle est mariée et mère de famille. Ses revenus, ou ceux de son mari si elle ne travaille pas, sont élevés. Conservatrice, elle ne jure que par la famille, ses racines, le bon goût.
Elle aime les valeurs sûres, le style classique, chic *british* pour la semaine, chic décontracté pour le week-end. Elle déteste le synthétique (ça fait transpirer), les couleurs fluo (c'est vulgaire), la mauvaise qualité.

La traditionnelle
Elle est mère de famille et femme au foyer.
Elle est épanouie au sein de sa famille et raisonnable.
Elle aime les vêtements sages, fonctionnels, confortables et valorisants. L'essentiel est d'avoir l'air « correct ».

Sa façon de dépenser
a. Elle dépense de manière impulsive. Elle achète ce qui lui plaît, quand ça lui plaît.
b. Elle dépense de manière très réfléchie. Munie d'une calculatrice dans sa tête, elle calcule le rapport utilité/prix.
c. Elle dépense peu, et surtout en solde. Son compte en banque refuse qu'elle fasse des folies.
d. Elle dépense raisonnablement. Elle est prête à payer cher, à condition que la qualité et les finitions soient parfaites. Les marques la rassurent et peuvent influencer son choix, à condition qu'elles soient discrètes.

Sa phrase type
e. « Vous ne l'avez pas en noir ? »
f. « Combien ça coûte ? »
g. « Ça se lave comment ? »
h. « C'est de mauvaise qualité !... De qui se moque-t-on ? »

D'après *Elle* n° spécial 100 ans des Galeries Lafayette.

	La superwoman	La branchée	La BCBG	La traditionnelle
Sa façon de dépenser	b			
Sa phrase type				
Numéro du dessin				

6

a) Rédigez votre propre portrait de consommateur/consommatrice.

b) À la manière de *Elle*, faites des portraits d'hommes (*Clients : à chacun son style*).

Outils pour....

PARLER DE SA CONSOMMATION ET COMPARER

1

GRAMMAIRE

Complétez les phrases suivantes en utilisant des comparatifs.

1. Je préfère faire mes courses en grande surface : c'est .... marché que chez les petits commerçants.

2. Il y a .... gens qui font leurs achats sur le Net.

3. Sur les marchés, il est .... facile d'obtenir un rabais quand on est bon client.

4. Grâce au site eBay, on connaît .... le marché de l'occasion.

5. En province, il y a .... hypermarchés qu'à Paris.

6. Avec la baisse du pouvoir d'achat, les classes moyennes consomment ....

2

GRAMMAIRE

Complétez ces témoignages à l'aide de comparatifs, en nuançant chaque fois que c'est possible.

Micro-trottoir : Quel consommateur êtes-vous ?

1. ✐ « Je vais une fois par an dans des magasins d'usine pour acheter des meubles ou autres objets dont j'ai besoin. C'est .... cher que les prix pratiqués en boutique, et ça me permet de me faire plaisir en réalisant .... économies que si j'attendais les soldes. »

2. ✐ « Dans notre société, il y a .... contacts entre les gens, je trouve cela dommage de ne plus parler avec les commerçants. C'est pourquoi j'aime aller au marché le samedi matin, les produits sont .... frais, mais surtout il y a .... anonymat que dans les supermarchés : on échange des recettes, on parle de la pluie et du beau temps. »

3. ✐ « Moi, j'adore surfer sur le Net à la recherche de vêtements que personne d'autre ne portera. En période de soldes, c'est .... intéressant et .... stressant que dans les boutiques, et puis c'est .... de faire ça de chez soi, en prenant le temps qu'il faut ! »

4. ✐ « Quand je cherche quelque chose d'original, d'unique, je vais .... souvent dans les dépôts-ventes. Ça ne me dérange absolument pas de porter des vêtements d'occasion, je trouve ça ....
marrant que de s'habiller comme tout le monde. Et puis ça me permet de .... gérer mon budget "vêtements" tout en me faisant plaisir ! »

3

GRAMMAIRE

Faites des phrases en utilisant des comparatifs.

Exemple : s'habiller dans des dépôts-ventes / vouloir suivre les dernières tendances / économique
➜ *S'habiller dans des dépôts-ventes est plus économique que de vouloir suivre les dernières tendances.*

1. marché / grande surface / produits frais

➜...

2. acheter par correspondance / faire les boutiques / stressant

➜...

3. vêtements d'occasion / vêtements neufs / à la mode

➜...

4. marchander / payer le prix annoncé / amusant

➜...

CARACTÉRISER

4

GRAMMAIRE

Réécrivez ces publicités en utilisant un pronom relatif, afin d'obtenir une seule phrase comme dans l'exemple.

Exemple : Vous qui aimez le confort, enveloppez-vous dans cette couette <u>grâce à laquelle</u> vos nuits seront douces et chaudes.

1.

> Vous qui avez une grande famille, optez pour cette table. Autour de cette table, vous organiserez des repas pour de nombreux convives et la fête sera de la partie !

....

....

2.

> Adoptez cette jolie chaîne en or. À cette chaîne, vous suspendrez toutes sortes de pendentifs pour éclairer votre décolleté.

....

....

3.

> Essayez ces chaussures !
> Dans ces chaussures, vous vous sentirez aussi bien que dans des chaussons : vous ne voudrez plus les quitter !

....

....

4.

> Vous qui aimez écrire à vos proches, choisissez ce papier à lettres de qualité. Sur ce papier, vous aurez plaisir à rédiger les plus belles missives.

....

....

5

GRAMMAIRE

Sur une feuille séparée, composez des phrases avec les éléments de chaque colonne, comme dans l'exemple (plusieurs combinaisons sont possibles).

Exemple : C'est un hypermarché <u>avec lequel</u> les autres commerces ne peuvent pas rivaliser.

		... sans...	
	1. catalogue de vente par correspondance...	... sur...	... Noël ne serait plus Noël.
		... dans...	... les autres commerces ne peuvent pas rivaliser.
	2. émission de téléachat...	... pour...	... on peut échanger des articles et faire de bonnes affaires.
C'est un(e)...	**3.** réunions entre copines...	... à côté de...	... on trouve un grand choix d'articles pour enfants.
Ce sont des...	**4.** site Internet...	... pendant...	... beaucoup de ménagères passent leur matinée.
	5. grande braderie...	... grâce à...	... les filles peuvent renouveler leurs produits de beauté.
	6. marchés...	... après...	... tous les habitants de la région se déplacent.
	7. grand magasin...	... avec...	... on peut passer commande au téléphone.
		... devant...	

6

GRAMMAIRE

Vous avez acheté les objets suivants. Justifiez vos achats en expliquant leur utilité et leurs avantages. Utilisez des pronoms relatifs.

Une baignoire roulante

Un frigo tempête

Objets extraits de l'exposition *Le Grand Répertoire–Machines de spectacles*, Paris Quartier d'été, juillet-août 2006.

2 Points de vue sur... **Points**
Points de vue sur... Points de vue sur...
Points de vue sur...

1

a) Vrai ou faux ? Lisez cet article et répondez en citant le texte.

Et si je consommais moins ?

Le credo[1] de cette nouvelle tendance : limiter les achats. L'aspiration : privilégier l'épanouissement personnel. Les bêtes noires[2] : la pub, la pollution. Ceux que l'on baptise « décroissants » bannissent la course au profit et refusent de participer au déclin de la planète.

Ils achètent équitable, mangent bio, préfèrent le marché à l'hypermarché du coin, roulent à vélo, détestent souvent le portable, mais aussi tous ces gadgets de consommation courante qu'on retrouve dans la pub, leur ennemie jurée. À quoi bon acheter ce dont on n'a pas besoin ? Fatigués de l'hyperconsommation, ils ont une conscience souvent très militante face aux ravages de la pollution et à la diminution des ressources naturelles. Aux États-Unis, ce sont les « Nono's », ceux qui disent « non ». Adeptes d'un nouvel art de vivre qui revendique la lenteur et la frugalité[3], ils refusent de se laisser vampiriser par le boulot et de perdre leur vie à la gagner. « Pourquoi travailler autant, si c'est pour s'offrir des trucs dont on n'a pas besoin ? » demande cette convertie qui a quitté un job dans les ressources humaines pour devenir consultante à temps partiel, « avec moins de fric mais tellement de bonheur en plus ». Vivre mieux avec moins, c'est aussi plus de temps pour les liens sociaux, la culture, les loisirs, voire le partage des biens.

Plus de 30 ans après l'époque des hippies qui avaient choisi la vie à la campagne en pleine période de croissance, on craint pour la planète, on redoute la mondialisation. Les « Nono's » insistent sur la nécessité de ralentir le rythme. Ils ne rêvent pas de s'éclairer à la bougie ou d'aller planter leurs choux, mais de réinventer une vie qui ne leur convient plus dans un monde qui ne tourne plus rond[4].

D'après *Femina*, août 2006.

	Vrai	Faux
1. Les « décroissants » refusent d'être influencés par la pub.	☐	☐
2. Ils achètent uniquement le strict nécessaire.	☐	☐
3. Ils aspirent à une vie toujours plus proche de la nature, sans confort.	☐	☐
4. Ils préfèrent travailler beaucoup par moments pour pouvoir faire de gros achats plus tard.	☐	☐
5. Les « Nono's » sont apparus en période de crise économique.	☐	☐

b) Vous sentez-vous concerné(e) par cette nouvelle tendance ? Que seriez-vous prêt(e) à changer dans votre quotidien pour vous rapprocher du mode de vie des « Nono's » ? Exprimez votre opinion en 5-6 lignes.

....
....
....
....
....
....

1. credo : principe, règle.
2. bête noire : ce qui est détesté.
3. frugalité : simplicité.
4. ne pas tourner rond : aller mal.

2

Patricia, étudiante en visite à Paris, écrit son journal.
Complétez le texte avec un synonyme des expressions suivantes :

1. vente à celui offrant le meilleur prix
2. faire monter les prix
3. proposé en vente
4. vendu (après une mise en concurrence des acquéreurs)
5. une grosse somme d'argent
6. une transaction intéressante

> *Paris, le 5 avril*
>
> *Mon séjour se déroule toujours aussi bien et je découvre chaque jour des lieux insolites.*
> *Aujourd'hui, je suis allée à l'hôtel Drouot. J'étais curieuse de voir l'ambiance d'une*
> *salle de ventes, et j'ai assisté à la (1) .... d'une esquisse du XIXᵉ siècle*
> *d'un artiste que je ne connaissais pas. Il y avait un monde fou et je n'ai pas compris*
> *grand chose. La manière d'(2) .... m'a complètement échappé !*
> *Je n'ai à aucun moment entendu la voix des intéressés, mais j'ai vu des regards,*
> *des gestes mystérieux : ce petit dessin qui avait été (3) .... à 500 euros,*
> *a finalement été (4) .... à 20 000 euros ((5) .... !)*
> *en l'espace de 5 minutes. L'acquéreur avait l'air satisfait, il a sûrement fait*
> *(6) .... ! Il y a des gens incroyables…*

3

Fréquentez-vous les brocantes et les vide-greniers ? Aimez-vous posséder des objets qui ont déjà une histoire, qui ont appartenu à d'autres ou, au contraire, préférez-vous les choses neuves ? Parlez de votre expérience et exposez votre point de vue.

....
....
....
....
....
....
....
....
....
....
....
....

4

a) Lisez les questions posées à Victor Ferreira, directeur de l'association de commerce équitable Max Havelaar. Retrouvez ensuite les réponses pour reconstituer l'interview. Complétez le tableau avec les lettres correspondantes.

Questions :

1. Qui est Max Havelaar ?

2. Pouvez-vous nous rappeler le principe du commerce équitable ?

3. Quels sont les résultats sur le terrain ?

4. Pouvons-nous dire que le commerce équitable est une arme de plus dans l'aide au développement ?

5. Quelle est la place en France pour ce type de consommation ?

6. Existe-t-il une différence au point de vue du prix ?

7. Comment voyez-vous l'avenir ?

Réponses :

a. L'impact est colossal : les populations construisent des écoles, des crèches, des maisons en dur, se regroupent en coopérative, en syndicat. Les gens recouvrent leur dignité et la fierté de voir leur travail reconnu.

b. Je suis très confiant. Je pense que nous allons pouvoir proposer au consommateur, comme dans la distribution classique, des gammes avec de nombreuses références. Il faut se souvenir que les droits économiques font aussi partie des droits de l'homme.

c. À côté des produits de base comme le thé, le sucre, le café, on trouve désormais des boissons, du chocolat, des biscuits. Les nouveautés concernent le coton qui démarre très fort à la Redoute[1] mais aussi les roses de Tanzanie vendues sur Internet. En tout, 1 200 produits sont déjà disponibles sur le marché français.

d. Chaque jour, des milliers de paysans quittent leur terre car ils n'arrivent pas à nourrir leur propre famille. Il s'agit donc d'assurer à ces paysans un prix d'achat minimal qui leur permette de vivre.

e. Pour le café, best-seller en France, on se situe quasiment au même prix qu'une marque nationale. Pour les autres produits, nous sommes à 5 %, parfois 10 % de plus qu'une marque classique. Au fur et à mesure de notre croissance, nous espérons diminuer le prix sur l'étiquette.

f. C'est le nom d'un héros hollandais qui dénonçait l'exploitation des paysans en Indonésie. Max Havelaar en France est aujourd'hui une fédération d'associations qui délivre un label répondant aux standards internationaux du commerce équitable.

g. Son principe n'est pas l'aide, qui sous-entend une inégalité entre la personne qui vend et celle qui achète. Il s'agit d'assurer un meilleur équilibre des relations commerciales dans le monde et de progresser vers l'autonomie des gens du Sud en leur permettant de faire connaître chez nous des produits de qualité. Le commerce équitable, cela n'a rien à voir avec la charité. *A priori* on est tous gagnants.

D'après *Avantages*, Ariane Bois, mai 2006.

_____

* La Redoute : catalogue de vente par correspondance.

b) Quelle autre question aimeriez-vous poser à Victor Ferreira ? Écrivez cette question et rédigez la réponse qu'il pourrait donner.

....

....

....

NÉGOCIER ET DISCUTER UN PRIX

1

Chez un antiquaire. Remettez le dialogue dans l'ordre.

	a. – Je ne peux pas y mettre plus de 100 euros.
	b. – Lequel ? Celui-ci ? 200 euros.
	c. – Vous plaisantez, madame ! C'est une pièce ancienne !
1	**d.** – Bonjour, monsieur, il coûte combien ce miroir ?
	e. – Si vraiment il vous intéresse, je peux vous faire un prix.
	f. – Non, je vous le laisse à 150 et c'est mon dernier prix.
	g. – Ah ! C'est dommage, il est très beau, mais c'est trop cher pour moi.
	h. – Bon, écoutez, je peux peut-être vous en donner 120 euros mais pas plus.

2

Complétez le dialogue.

« Approchez, admirez la marchandise !

– ....

– Elles sont à 50 euros.

– ....

– Vous savez, c'est une affaire. C'est de la très bonne qualité, c'est un travail artisanal et chaque pièce est unique !

– ....

– Bon, je peux faire un effort pour vous, combien vous m'en donnez ?

– ....

– Bon d'accord, mais j'espère que vous vous rendez compte de la bonne affaire que vous faites !... »

RAPPORTER LES PAROLES DE QUELQU'UN

3

a) Mme Galère, âgée de 83 ans, s'est fait escroquer[1] par un vendeur à domicile. Son fils Martin est allé se renseigner à la permanence d'une association de consommateurs. Lisez les recommandations du conseiller *Que choisir.*

« Si je résume, un vendeur a essayé d'escroquer votre mère et elle a signé plusieurs papiers sans comprendre ce à quoi elle s'engageait. Vous savez, de nombreux démarcheurs[2] à domicile savent s'y prendre pour forcer la main des consommateurs, en particulier celle des personnes âgées. Certains n'hésitent pas à abuser de la faiblesse ou de l'ignorance d'une personne pour lui faire souscrire des engagements au comptant ou à crédit. Il faudrait faire une réclamation en évoquant l'abus de faiblesse. Il faudra alors prouver que votre maman souffre de problèmes physiques ou psychiques, qui l'ont empêchée de discerner les ruses[3] du démarcheur pour la convaincre. N'hésitez pas à insister sur son état de fatigue, que le vendeur ne pouvait pas ignorer. L'abus de faiblesse peut être puni de 9 000 euros d'amende et de cinq ans de prison. Et surtout dites à votre mère de se méfier désormais des gens qui frappent à sa porte pour lui proposer de bonnes affaires ! »

D'après *Que choisir*, n° 431, novembre 2005.

b) De retour chez lui, Martin téléphone à sa mère pour lui raconter sa visite. Sur une feuille séparée, transcrivez ses paroles en mettant les verbes soulignés aux temps qui conviennent et en faisant les changements nécessaires.

Exemple : Allô maman ? Tu sais, pour ton problème avec le vendeur à domicile, je suis allé me renseigner auprès d'une association de défense des consommateurs. J'ai expliqué qu'un vendeur avait essayé de t'escroquer et que tu... / Le conseiller m'a dit que... / Il m'a expliqué que... / Il m'a conseillé de...

1. escroquer : tromper, abuser.
2. démarcheur : vendeur qui sollicite la clientèle à domicile ou par téléphone.
3. discerner les ruses : se rendre compte de la malhonnêteté.

4

a) Anne raconte à une amie la conversation qu'elle a eue avec un démarcheur au téléphone. Lisez son récit.

« L'autre jour, j'ai reçu un appel bizarre. J'ai entendu la voix d'un homme qui s'est présenté à toute vitesse. Il m'a demandé si ça me dérangerait de répondre à quelques questions. Je lui ai répondu que ça dépendait du type de questions et du temps que ça prendrait. Il m'a assuré que ça ne serait pas long et que ça portait sur l'aménagement de notre nouvel appartement. Je lui ai demandé comment il savait qu'on venait de changer d'appartement, mais il n'a pas répondu. Il m'a demandé si on avait fait faire des travaux d'isolation, et comme je lui répondais que oui, il a complètement changé de sujet et m'a bombardée de questions en me demandant en vrac quelle marque de couches-culottes on achetait pour notre bébé, la marque des croquettes pour notre chat, le nombre de boîtes de conserve qu'on consommait par semaine, etc., etc.

À la fin, je n'en pouvais plus, je lui ai raccroché au nez. »

b) Sur une feuille séparée, retranscrivez le dialogue entre Anne et le démarcheur en utilisant l'amorce ci-dessous :

Exemple : Michel Tampon de la société Statipex à l'appareil, bonsoir madame. Cela vous dérangerait-il de répondre à quelques questions ?

METTRE EN GARDE

5

Réagissez en faisant des mises en garde, comme dans l'exemple.

Exemple : J'ai prêté ma voiture à un copain qui vient d'avoir le permis.
➔ Méfie-toi, tu es bien assuré ?

1. Pendant les vacances, on va sous-louer notre studio.

➔ ....

2. J'ai acheté une voiture sur eBay !

➔ ....

3. J'ai gagné un voyage pour deux personnes à Tahiti !

➔ ....

4. Un vendeur à domicile m'a fait signer un contrat d'assurance-vie très intéressant.

➔ ....

5. Je vais recevoir un cadeau d'une valeur de 50 euros si je m'abonne à ce magazine.

➔ ....

6

Mettez-vous par deux et jouez la scène : vous racontez à un ami la visite surprise à votre domicile d'un vendeur d'encyclopédies au profit d'une ONG (Organisation Non Gouvernementale) dont vous ne connaissez pas le nom. Votre ami vous met en garde.

La vie au quotidien

1

Comment apprenez-vous une langue ?

a) Lisez les phrases suivantes et entourez le symbole correspondant si vous vous reconnaissez.

• Dans un train, dans le métro, je tends l'oreille quand des étrangers parlent.

□ J'aime bien aller au labo.

Δ Je préfère me corriger moi-même.

Δ J'ai de bons résultats en grammaire.

✳ Faire des fautes, ça me perturbe.

Δ Ma prononciation est meilleure quand je lis que quand je parle.

✳ J'ai tendance à apprendre par cœur.

✳ Quand je lis, je vais lentement, car j'aime bien tout comprendre.

□ J'aime faire des jeux en cours de langue.

Δ J'aime trouver mes propres règles, mes propres exemples.

• J'accepte qu'il reste des choses que je ne comprends pas.

✳ Pour comprendre ou parler, j'ai tendance à passer par ma langue maternelle.

• En cours, j'aime bien parler de moi et de mes centres d'intérêts.

□ J'aime inventer des dialogues et des histoires.

Δ J'aime faire des tableaux avec les déclinaisons, les conjugaisons.

✳ Quand j'ai du mal à exprimer quelque chose, je préfère me taire.

□ J'aime lire le compte-rendu d'un match, ou une interview de star dans la presse étrangère.

• Je ne suis pas timide à l'oral.

Δ Quand j'entends une autre langue, je me bloque facilement sur un mot que je ne comprends pas.

✳ Je fais plus de progrès avec un cours intensif qu'avec un séjour linguistique.

Résultats : quel apprenant êtes-vous ?

b) Indiquez le symbole qui correspond à chaque profil.

Vous êtes un COMMUNICATIF : ....
Pour vous, la langue est avant tout un moyen de communiquer avec les autres. Toutes les occasions de parler avec des étrangers sont bonnes pour vous. Même si c'est avec un vocabulaire et des structures de phrase limités.

Vous êtes un ANALYTIQUE : ....
Vous savez que la langue étrangère est un système organisé, vous aimez en observer la construction, vous éprouvez le besoin de décortiquer les phrases dans le détail. Vous aimez élaborer vos propres règles de grammaire.

Vous êtes un SCOLAIRE : ....
Les langues étrangères sont pour vous une discipline comme les autres. Vous ne voyez pas l'occasion d'exploiter vos connaissances. Vous concentrez tout votre travail sur les devoirs.

Vous êtes un CONCRET : ....
Labo de langue, sketches, chansons : vous appréciez la variété dans les cours, l'imprévu vous stimule. Vous aimez travailler avec du matériel : jeux, cassettes, logiciels, cédéroms, etc.

D'après *Phosphore*, Anne Lanchon, mars 1993.

c) Êtes-vous plutôt un communicatif, un concret, un scolaire ou un analytique ?
Parlez de votre expérience dans l'apprentissage d'une langue étrangère et comparez avec votre voisin(e).

2

À partir des phrases suivantes, reconstituez le parcours des personnes ci-dessous, en retrouvant l'élément déclencheur de leur vocation, leur formation et leurs expériences professionnelles.

| 2 | | | |

1. J'ai passé le concours, que j'ai réussi, et j'ai suivi six mois de formation qui ont été très durs : je devais apprendre à recevoir des ordres.

2. Quand j'étais petite, j'alignais mes poupées sur un banc et je jouais à la maîtresse. J'adorais écrire sur mon petit tableau noir.

3. Mon séjour dans ce pays a été une expérience unique et j'ai été ébloui par les maisons traditionnelles.

4. Un jour, j'ai accompagné des copains qui voulaient s'informer sur ce métier. Ça m'a tentée et je me suis dit « pourquoi pas moi ? ».

5. J'ai alors réalisé que ma place était ici, au milieu des enfants.

6. Enfant, j'étais passionné de travaux manuels et je me suis intéressé très tôt à la menuiserie. J'aimais le contact du bois, son odeur.

7. À la fac, j'ai choisi la filière Sciences de l'Éducation et j'ai obtenu ma licence. Ensuite, je suis entrée à l'IUFM*, où j'ai alterné formation et stages dans des écoles de la commune.

8. En rentrant, j'ai commencé un stage dans une agence d'architectes en tant que chef de projet. Et puis j'ai réalisé ma première construction en bois.

9. À l'issue de cette formation, j'ai intégré la brigade de l'Yonne. Puis la Garde républicaine de Nanterre.

10. Après le bac, j'ai décidé de tenter le concours d'une école d'architecture, et je l'ai réussi. J'ai découvert la conception architecturale et j'ai appris le dessin. En fin de 4e année, je suis parti au Japon dans le cadre d'échanges internationaux avec mon école.

11. Pour voir si j'étais vraiment faite pour ce métier, j'ai pris un poste de surveillante dans un collège d'enseignement adapté qui accueillait des élèves en grande difficulté. Et avant l'année de préparation au concours, j'ai passé quatre mois à Madagascar pour travailler dans une école primaire.

12. Je suis arrivée à réaliser mon rêve, celui de me faire apprécier et respecter dans un milieu masculin et discipliné.

D'après *Phosphore*, Claire Feinstein, mai 2006.

---

* IUFM : Institut Universitaire de Formation des Maîtres.

3

Et vous ? Sur une feuille séparée, dites quelle filière vous avez choisie, quelles sont vos motivations ou comment vous avez découvert votre vocation.

PARLER DU PASSÉ

1

GRAMMAIRE

Lisez le texte et entourez la forme du passé qui convient.

Célestin FREINET : un pédagogue hors norme

Célestin Freinet **est né/était né** en 1896. Il **a passé/passait** son enfance à la campagne. Il **n'aimait pas/n'a pas aimé** l'école mais il **était/a été** toujours le premier en classe.

Il **a commencé/avait commencé** sa carrière d'instituteur en 1920. Il **a ouvert/ouvrait** une école en 1935.

Il **a aimé/aimait** emmener les enfants à la campagne pour faire des observations et il **organisait/a organisé** souvent des ateliers d'activités manuelles. Il **encourageait/a encouragé** la lecture et l'expression libre : textes et dessins, correspondance, rédaction d'un journal de classe, d'une revue. C'est ainsi qu'il **a introduit/avait introduit** l'imprimerie à l'école afin de développer les capacités d'expression des enfants et de les inciter à la lecture. Tous les ans, il **organisait/a organisé** des correspondances et des échanges inter-scolaires. Il **refusait/a refusé** le « bourrage de crâne* ». Il **disait/avait dit** que l'enfant **ne devait plus/n'avait plus dû** être une machine qui apprend mais un être qui réfléchit. Ses méthodes pédagogiques **ont fait/faisaient** l'objet de nombreuses critiques.

* bourrage de crâne : accumulation excessive de connaissances.

2

GRAMMAIRE

Complétez le texte suivant avec les verbes de la liste. Conjuguez chaque verbe au temps qui convient et, si besoin, mettez à la forme négative.

vouloir – décider – rester – correspondre – devenir – déconseiller – être fait (× 2) – travailler – s'inscrire – falloir – être (× 2) – avoir – envisager.

Renaud, 25 ans, fromager à Courchevel (Savoie)

Son parcours

Deux mois. C'est le temps qu'il .... à Renaud pour comprendre que la filière Géographie à l'université .... pour lui ou qu'il .... pour elle. Trop d'autonomie, trop de théorie, trop de bouquins. Une erreur d'orientation, en somme.

Alors, Renaud .... d'arrêter la fac et de chercher ses véritables centres d'intérêt.

Parallèlement, ça .... la valse des petits boulots pendant un an, pour « vivre » : d'abord vendeur dans une épicerie, puis vacher dans les alpages savoyards l'été suivant. Une révélation !

Dès le mois de septembre, il .... en BTS Industries Laitières. Deux ans de cours, quatre mois de stage dans des exploitations agricoles : c'.......................... la voie qui lui ....

Au lycée, il .... de devenir agriculteur, mais ses professeurs lui .... d'abandonner la filière générale compte tenu de ses bons résultats scolaires.

Son insertion professionnelle

Avec un diplôme de fromager en poche, Renaud .... monter sa propre exploitation agricole et confectionner ses fromages. Mais à ce moment-là, il n'en .... les moyens financiers. Alors, il .... comme vacher plusieurs étés et il .... l'hiver aux remontées mécaniques d'une station de ski. Aujourd'hui, son rêve .... réalité : il possède enfin sa propre exploitation.

D'après *Phosphore*, Claire Feinstein, mai 2006.

3

Imaginez la vie de Bruno en intégrant les éléments suivants dans l'ordre proposé. Racontez son parcours.

1.
2.
3.
4.
5.
6.
7.
8.

1. ....
2. ....
3. ....
4. ....
5. ....
6. ....
7. ....
8. ....

4

Sur une feuille séparée, imaginez et écrivez au passé l'histoire d'Arthur, marin, et de Zoé, agricultrice, en utilisant les verbes suivants dans un ordre qui vous paraît possible.

se séparer – s'écrire de longues lettres/s'envoyer des méls – se décider à devenir parents – se lancer dans un tour du monde – se former à l'agriculture bio – se rencontrer (dans un café, un train…) – se marier – se disputer – se perdre de vue – se téléphoner – se parler longuement – se plaire – se mettre à réfléchir à un projet – se retrouver – ne plus se quitter

5

Lisez cette interview d'une musicienne professionnelle. Puis réécrivez le texte en utilisant un pronom (complément ou relatif) pour éviter les répétitions. Faites les accords nécessaires.

Interview

•••

> La musique, vous l'avez apprise comment ?
Personne ne m'a enseigné la musique. Je n'ai jamais pris de cours de solfège, par exemple.

> Alors, comment vous est venue la passion pour la musique ?
Plusieurs personnes de mon entourage m'ont transmis cette passion et ont fait de moi une mélomane. J'ai découvert cette passion très jeune grâce à mes parents qui chantaient très souvent en réunion de famille. Ensuite, il y a eu ma meilleure amie, Marie. J'avais rencontré Marie au collège et j'ai longtemps envié Marie d'avoir des parents musiciens. C'est elle qui m'a initiée à la musique classique. Je ne connaissais pas la musique de Schubert, et j'ai tout de suite aimé la musique de Schubert en l'écoutant pour la première fois en concert.

> Pourquoi avoir choisi la flûte traversière ?
J'ai choisi la flûte traversière parce que j'ai toujours aimé la sonorité et le doigté de la flûte traversière. Rien de tel avec la flûte à bec. J'avais déjà pratiqué la flûte à bec mais le son me paraissait moins riche.

Exemple : « La musique, vous l'avez apprise comment ? » ➜ *Personne ne me l'a enseignée.*

....

....

....

....

....

....

....

....

....

....

....

....

6

Complétez les phrases en employant pour chaque verbe le temps du passé qui convient.

1. Quand elle (entrer) .... à la fac, elle (ne pas savoir) .... ce qu'elle ....

   (vouloir) faire comme études, alors elle (choisir) .... de faire « psycho » par hasard. Finalement, ses études

   lui (plaire) .... et elle (aller) .... jusqu'au Master. Puis elle (trouver) .... du travail.

   On lui (dire) .... pourtant que cette filière ne (offrir) .... pas beaucoup de débouchés.

2. Ils (apprendre) .... à danser le tango parce que l'année précédente, ils (voir) .... un spectacle

   en Argentine et ils (tomber amoureux) .... de cette danse.

3. Je (se tromper) .... ! Je (s'inscrire) .... à un cours de peinture à l'huile alors que

   je (vouloir) .... m'initier à la technique de l'aquarelle.

1

LEXIQUE

a) Complétez le texte à l'aide des mots suivants. Ajoutez les articles lorsque cela est nécessaire.

écriture – histoire – style – lu – roman – auteur – livre

Le droit de ne pas finir un livre

Il y a trente-six mille raisons d'abandonner .... avant la fin : le sentiment du déjà ...., ... qui ne nous retient pas, notre désapprobation totale des thèses de ...., ... qui nous hérisse le poil*, ou au contraire une absence d'...................... que ne vient compenser aucune raison d'aller plus loin. Inutile d'énumérer les 35 995 autres parmi lesquelles il faut pourtant ranger la carie dentaire, les persécutions de notre chef de service. [...]

.... vous tombe des mains ?

Qu'il tombe.

Daniel Pennac, Comme un roman.

---

* hérisser le poil : déplaire énormément.

S'EXPRIMER

b) Vous est-il déjà arrivé qu'un livre vous « tombe des mains » ? Si oui, pour quelles raisons ? Échangez avec votre voisin(e) à ce sujet.

2

S'EXPRIMER

Lisez les citations suivantes et dites ce que vous en pensez. Justifiez votre point de vue.

« On devrait apprendre les langues par le karaoké. »

« La scolarité devrait être obligatoire dès 3 ans. »

« L'ÉCOLE À LA MAISON EST UNE ALTERNATIVE SÉDUISANTE. »

« La compétition stimule l'apprentissage. »

La pratique des langues étrangères pendant la scolarité est conseillée dès le 1er cycle, en effet : « Pour parler une langue étrangère il faut commencer le plus tôt possible, dès le début de l'école maternelle. » Il s'avère que l'apprentissage qui débute durant cette

D3 Points de vue sur... **Point**
Points de vue sur...
Points de vue sur...

3

a) Lisez le texte et répondez aux questions.

Apprendre en vivant à l'étranger, avec AFS – Vivre Sans Frontière

AFS est une organisation internationale, non gouvernementale, à but non lucratif, qui propose de favoriser l'apprentissage des relations interculturelles. Elle forme un réseau de cinquante pays qui réalisent entre eux des échanges individuels de collégiens, lycéens et jeunes adultes pour des durées variant de un mois à un an. AFS-Vivre Sans Frontière vous propose de vivre plus qu'un séjour linguistique : une véritable expérience interculturelle en famille d'accueil bénévole, dans le pays de votre choix.

Témoignages

Nicole, un an en Laponie (Finlande)

Si je devais résumer cette année, je dirais qu'il y a eu de bons moments, en souvenir de toutes les personnes formidables que j'ai connues, des saunas, des heures passées à faire  du ski, de la découverte de la région et des voyages faits dans les pays voisins, de la vision des aurores boréales... Il y a eu aussi des périodes difficiles, en raison des conditions climatiques et surtout de la nuit permanente durant deux mois en hiver, de la langue particulièrement ardue, de l'éloignement des autres étudiants AFS regroupés dans le sud du pays. En dépit de ces difficultés, je suis restée marquée par cette expérience. J'ai vraiment l'impression d'avoir fait quelque chose à part dans ma vie. Ce n'est ni un exploit sportif, ni une performance professionnelle, mais une sorte de réussite personnelle. Cette expérience qui demande une certaine ouverture d'esprit, m'a permis de m'adapter par la suite à toutes sortes de situations, m'a donné le goût des voyages, de la découverte en général.

Marc, un an en Australie

L'Australie est un pays tout simplement sublime. J'ai eu la chance de voyager un peu à travers ce pays, et à chaque fois, j'ai découvert des paysages, des vues différentes et superbes. Et puis j'ai rencontré des étrangers de toutes nationalités, d'Amérique du Sud  comme du Nord, de l'Ouest comme de l'Est, d'Asie et bien sûr d'Océanie. J'ai aussi rencontré de nombreux problèmes pour m'intégrer dans une famille d'accueil mais maintenant tout est merveilleux, je me sens chez moi. Et puis toutes ces expériences pas toujours faciles à affronter sont aussi très enrichissantes et m'ont permis de comprendre beaucoup de choses, très certainement de gagner de la maturité et de la confiance en moi.

1. Quel est l'objectif visé par l'association AFS-Vivre Sans Frontière ? ....

2. Qui est concerné par ces échanges ? ....

3. Quelles sont les difficultés auxquelles ces jeunes ont dû faire face ? ....

4. Qu'est-ce qu'ils ont appris en partant avec AFS ? ....

b) Réagissez à ces témoignages en participant au forum de discussion sur le thème de « l'apprentissage par le voyage et la vie à l'étranger ». Parlez de votre expérience ou de celle de personnes de votre entourage en donnant des exemples concrets.

CONCÉDER

1

Reliez les deux phrases avec une expression de concession (*pourtant, bien que, quand même, avoir beau* + infinitif, etc.).

L'école à la maison

1. Instruire ses enfants chez soi est un droit. Les parents qui font ce choix ont aussi des devoirs vis-à-vis de l'Éducation nationale et sont contrôlés par un inspecteur d'académie.

....

2. Parmi ces parents, nombreux sont ceux issus du monde de l'éducation. Ce ne sont pas forcément les meilleurs pédagogues pour leurs enfants.

....

3. L'école à la maison est une alternative séduisante. Ces enfants peuvent souffrir de solitude.

....

4. L'école à domicile rencontre de plus en plus d'adeptes. Cela reste un luxe car ce système suppose une grande disponibilité de la part des parents.

....

2

À partir des éléments donnés, construisez des phrases en exprimant une contradiction.

Exemple : 80 % des bacheliers – niveau de culture générale en baisse. ➜ Bien qu'il y ait 80 % de bacheliers, le niveau de culture générale est en baisse.

1. études de plus en plus longues – pas de travail à la sortie de la fac.

....

2. faible coût d'inscription à l'université – peu de mixité sociale.

....

3. apprendre à jouer d'un instrument – ne pas savoir déchiffrer les partitions.

....

4. se faire comprendre sans problème – avoir un accent prononcé en langue étrangère.

....

5. n'avoir aucun diplôme – diriger une grande entreprise.

....

3

Complétez les phrases suivantes.

1. J'ai eu beau insister, ...

2. Il a vécu plus de dix ans en Chine, pourtant, ...

3. Malgré ses bons résultats scolaires, ...

4. Elle a fini par accepter sa proposition, même si ....

5. Bien que nous ayons les mêmes goûts, ...

Outils pour...

4

À partir des conseils du magazine *Réponse à tout*, retrouvez les problèmes exprimés par Nathalie, Marion et Gérard. Utilisez des expressions de concession, comme dans l'exemple.

Exemple : Hiroshi, 30 ans : « J'ai beau faire des efforts pour parler français quand je suis en France, on me répond presque toujours en anglais. Que faire ? »

Réponse à tout : Insistez en disant (en français !) que vous ne comprenez pas l'anglais ! Les gens aimables changeront alors sûrement d'attitude. Sinon, changez d'interlocuteur !

1. Nathalie, 50 ans : ....

....

Réponse à tout : Les études, ça ne fait pas tout ! Avez-vous songé aux séjours linguistiques à l'étranger ? Votre fille améliorerait très rapidement son niveau en ayant beaucoup de contacts avec les gens du pays.

2. Marion, 29 ans : ....

....

Réponse à tout : Vous avez oublié les conseils culinaires de votre super maman ? Si ça vous désole de ne pas savoir faire la cuisine, prenez des cours ! Sinon, prenez le temps d'observer un(e) ami(e) en pleine préparation d'un bon petit plat.

3. Gérard, 47 ans : ....

....

Réponse à tout : Il est normal que votre fils ne soit pas motivé pour apprendre à conduire si vous lui servez systématiquement de taxi lorsqu'il veut sortir avec ses copains ! Si vous le laissez se débrouiller, il comprendra alors l'utilité de cet apprentissage.

OPPOSER

5

Complétez les mots croisés en trouvant des mots de la même famille.

Horizontalement :
1. contraire
2. révolution
3. rebelle
4. conflit

Verticalement :
a. revendiquer
b. protestation
c. résister
d. réclamation

6

Lisez les « grandes lignes » du système scolaire français et dites ce qui est différent dans votre pays, en utilisant des mots qui expriment l'opposition.

L'école publique est gratuite.

Elle est obligatoire de 6 à 16 ans.

Le système français est très centralisé avec des examens sous contrôle du ministère de l'Éducation nationale.

Le but de l'école est de donner une bonne culture générale.

Les lycéens peuvent apprendre jusqu'à trois langues étrangères, mais la plupart d'entre eux n'en étudient que deux.

Lors de la dernière année de lycée, les jeunes étudient la philosophie.

Le baccalauréat est un examen passé par la majorité des jeunes.

Cet examen permet d'entrer à l'université.

L'université est quasi-gratuite et il n'y a pas de sélection pour y entrer.

Certaines grandes écoles sélectionnent leurs étudiants sur concours, entretien ou encore, sur dossier.

7

Sur une feuille séparée, commentez les tableaux suivants (en employant des marqueurs d'opposition) pour faire ressortir les différences dans les habitudes de lecture des Français.

Exemple : En 2003, plus de la moitié des agriculteurs n'avaient lu aucun livre. <u>En revanche</u>, presque tous les cadres supérieurs en avaient lu au moins un.

Nombre de livres lus selon la catégorie sociale   Unité : %

	0	1 à 4	5 à 9	10 à 19	20 à 49	50 ou plus	Taux de lecteurs
Agriculteurs	59	16	7	10	5	4	41
Artisans, commerçants et chefs d'entreprise	45	18	9	11	8	8	55
Cadres supérieurs	9	18	16	25	20	12	91
Professions intermédiaires*	17	22	13	22	17	9	83
Employés	27	27	10	18	11	6	73
Ouvriers	47	26	6	10	6	4	53

Types de livres lus par catégories sociales   Unité : %

	Livres politiques, religieux, économiques, de sciences humaines, romans	Livres d'art ou de photographie	Livres de cuisine, bricolage, guides de voyage, etc.	Livres sur le sport
Agriculteurs	9	2	19	2
Artisans, commerçants et chefs d'entreprise	20	17	31	13
Cadres supérieurs	50	36	53	10
Professions intermédiaires	31	30	57	15
Employés	15	14	51	10
Ouvriers	7	7	35	15

Source : *Insee*, 2003.

* professions intermédiaires : techniciens, professeurs des écoles, infirmières, assistantes sociales, etc.

La vie au quotidien

1

Pour comprendre le lexique de la presse, associez chaque élément à sa définition.

	1. Le chapeau
	2. Les faits divers (ou « Les chiens écrasés »)
	3. La chronique
	4. La coquille
	5. L'éditorial
	6. La légende
	7. L'interview
	8. Le reportage
b	**9.** La rubrique
	10. Le scoop
	11. La source
	12. La dépêche

a. Texte de réflexion ou d'humeur rédigé par le rédacteur en chef ou le directeur de la rédaction et donnant les grandes orientations du journal.

b. Ensemble d'articles réguliers sur un même thème.

c. Article court traitant régulièrement d'un domaine particulier et signé d'un même rédacteur.

d. Court texte concentrant l'essentiel de l'information de l'article.

e. Information exclusivement détenue par un journal.

f. Dernière nouvelle transmise sous une forme brève.

g. Faute d'orthographe ou de frappe.

h. Événements du jour (accidents, délits, crimes, etc.) sans lien entre eux.

i. Origine d'une information (personne, article, livre).

j. Enquête sur le terrain donnant lieu à un article ou un dossier.

k. Court texte sous une photo ou un dessin.

l. Compte-rendu mentionnant les questions du journaliste et les réponses de la personne interrogée.

2

Complétez ces témoignages avec les mots ou les expressions appropriés de la liste. Faites les transformations nécessaires.

sélectif – faire confiance – kiosque – jeter un coup d'œil – gros titre – presse people – rubrique – éclectique – abonné – de A à Z – parcourir

Micro-trottoir : Comment lisez-vous la presse ?

1. 🔎 « Je suis fidèle au *Monde* puisque je suis .... à ce quotidien depuis une dizaine d'années. Je le .... d'abord au moment du petit déjeuner, sans entrer dans les détails. Je .... sur la une, et si un .... attire mon attention, je me plonge dans la lecture de l'article. Je poursuis dans le métro et là je suis ...., je ne lis que les .... qui m'intéressent, notamment la politique, la société et la culture. »

2. 🔎 « Moi, je lis la presse occasionnellement, j'achète un journal au .... quand je passe devant et selon l'actualité du moment. Dans ce cas, je peux me concentrer pendant des heures et je lis le journal .... Il faut dire que je suis une personne plutôt ...., je m'intéresse à beaucoup de choses. »

3. 🔎 « Moi, je suis une accro de la ...., je dévore les articles sur la vie privée des stars ! »

4. 🔎 « Pourquoi est-ce que je lirais ce qu'on nous montre déjà à la télé ? De toutes façons, les médias nous manipulent, je ne .... à la presse pas plus qu'à la télé ! »

3

a) Observez le tableau suivant. Quelles sont les trois catégories sociales qui ont des taux importants d'abonnés à des titres de presse ? D'après vous, comment cela peut-il s'expliquer ?

Taux d'abonnés à des journaux, revues ou périodiques par catégories sociales			
	%	Professions intermédiaires	37,4
Exploitants agricoles	58,4	Employés	25,1
Artisans, commerçants et chefs d'entreprises	36,0	Ouvriers	25,3
Cadres	51,9	Retraités	50,2

Source : *Insee*, 2000-2001

b) 1. Êtes-vous abonné à un journal ou à un magazine ? Quels sont, selon vous, les avantages et les inconvénients de l'abonnement ?

2. Savez-vous quels journaux français sont vendus dans votre pays ? En avez-vous déjà lu ?

3. Préférez-vous lire la presse sur support papier ou sur Internet ? Pourquoi ?

4

Marie écrit à son amie suédoise pour lui parler de l'actualité en France. Malheureusement, elle a renversé de l'eau sur sa lettre, ce qui a effacé des parties du texte. Identifiez les informations manquantes (amorce de la lettre, point de vue sur l'événement, relance de l'échange d'informations) et complétez en fonction.

Rouen, le 26 septembre

Cher Ditte,

....

....

....

Je viens de reprendre le boulot et je suis déjà débordée !

La rentrée s'annonce chargée en événements sociaux. Cette semaine, une grève des transports a paralysé la moitié de la France, et les profs ont manifesté contre les suppressions de postes dans l'Éducation nationale et le manque de moyens pour enseigner dans des conditions acceptables. Il faut dire que le matériel est ....

Figure-toi que dans certains lycées de banlieue, la RDA et l'URSS figurent encore sur les cartes géographiques utilisées en classe ! Mais s'il n'y avait que ça... !

Sinon, la campagne présidentielle a commencé et chaque candidat présente ses solutions miracle pour lutter contre le chômage. Comme d'habitude, les politiciens ....

....

....

....

Du coup, j'allume de moins en moins souvent la télévision et je vais au cinéma !

Et toi, que deviens-tu ? ....

....

....

Penses-tu revenir en France aux prochaines vacances scolaires ? Si c'est le cas, préviens-moi !

Je t'embrasse, Marie.

5

Écrivez un mél à un(e) ami(e) pour commenter l'actualité, à partir d'un ou deux titres de presse.

Les étudiants crient misère

Nouvelle descente de police dans les cités

Suppression des distributeurs de friandises* dans les collèges et lycées

* friandises : sucreries, barres chocolatées, bonbons.

COMPRENDRE DES TITRES DE PRESSE

Outils *pour ...*

1

Transformez les informations suivantes en titres nominalisés comme dans l'exemple.

Exemple : L'Islande <u>reprend</u> la chasse commerciale à la baleine.
➔ *<u>Reprise</u> de la chasse commerciale à la baleine en Islande.*

1. Tempête en Bretagne : trois marins <u>hospitalisés</u> en urgence.

➔ ....

2. Moscou <u>lance</u> une école de commerce à vocation mondiale.

➔ ....

3. Un documentaire sur les femmes <u>tourné</u> en Afghanistan.

➔ ....

4. Julia Roberts <u>s'engage</u> pour les biocarburants.

➔ ....

5. Une annexe du Louvre <u>ouvrira</u> prochainement ses portes à Lens (Nord-Pas-de-Calais).

➔ ....

2

Transformez les titres nominalisés en phrases complètes comme dans l'exemple.

Exemple : Attaques contre des bus de banlieue. ➔ *Des bus de banlieue ont été attaqués.*

1. Manifestation des lycéens et étudiants contre le projet de loi.

➔ ....

2. Passage à l'heure d'hiver le week-end prochain.

➔ ....

3. Braquage de la Caisse d'Épargne par deux adolescents.

➔ ....

4. Interdiction de fumer dans les lieux publics à partir du 1er février 2007.

➔ ....

5. Apparition de la star au bras de son nouveau compagnon.

➔ ....

3

Remettez les phrases dans l'ordre pour retrouver les titres de presse.

1. un navire / et des / Première / d'électricité. / d'automne : / coupures / tempête / échoué*

➔ ....

2. réduite. / conducteur / pour / trop / verbalisé / Un / vitesse

➔ ....

3. vert / la / visage. / greffe / Feu / première / pour / complète / du

➔ ....

4. des soldes, / après / l'accalmie. / Consommation : / la folie / c'est

➔ ....

_____

* échoué : jeté sur la côte.

4

GRAMMAIRE

À partir des éléments donnés, rédigez des titres d'articles en choisissant la forme active ou passive. Justifiez votre choix.

Exemple : menace d'expulsion / habitants d'un camping / municipalité
→ *Les habitants d'un camping sont menacés d'expulsion par la municipalité = forme passive, accent sur la victime.*

1. hospitalisation / dix personnes / champignons toxiques

→ ....

2. records de chaleur / battre / sud-est de la France

→ ....

3. création / metteur en scène algérien / Marseille / théâtre franco-algérien

→ ....

4. retraités / escroquerie / employée de maison

→ ....

5

GRAMMAIRE

Lisez cet article et mettez les verbes entre parenthèses à la forme passive, en utilisant le temps approprié.

La mystérieuse épée de Jeanne d'Arc

L'une des épées de la statue de Jeanne d'Arc, qui (voler) .... ou (endommager) .... quatre fois en quatre ans, (retrouver) ...., s'est félicitée la mairie de Reims. Elle a cependant précisé que l'arme (ne pas remonter) .... sur la statue dans l'immédiat.

L'épée (découvrir) .... dans un sapin jeudi dernier par des ouvriers réaménageant le parvis de la cathédrale, selon un communiqué de la mairie qui précise : « On ne sait pas s'il s'agit de l'original ou d'une réplique ».

En juin dernier, un médecin psychiatre

avait remis à la mairie une autre épée de la statue équestre, qui (voler) .... d'après lui par plusieurs de ses patients.

Située près de la cathédrale, la statue de la Pucelle d'Orléans a fait l'objet de nombreuses convoitises[1] depuis une dizaine d'années. « En 1996, un SDF[2] déforme l'épée.

En 2002, suite à un premier vol, elle (remplacer) ....

En 2004, l'épée (dérober) .... à nouveau », rappelle la mairie. De

nouveau remplacée, la nouvelle épée (tordre) .... à deux reprises en mars et juin 2006, puis (dérober) .... de nouveau, à la veille des fêtes en hommage à Jeanne d'Arc à la mi-juin. La mairie de Reims, à qui ces « plaisanteries » ont déjà coûté près de 20 000 euros, a décidé de laisser Jeanne sans épée pendant quelque temps...

Reims (AFP), septembre 2006.

---

1. convoitise : désir immodéré de posséder une chose.
2. SDF : sans domicile fixe.

Outils pour...

6

Réécrivez ce texte en employant la forme passive (avec « être + participe passé » ou « se faire + infinitif ») pour mettre l'accent sur la victime, chaque fois que c'est possible.

> *Journée noire !* Le 6/10/06
>
> *Aujourd'hui, ce n'était pas mon jour !... En sortant de chez moi, je suis tombée sur la voisine du dessous qui m'a <u>agressée</u> à cause du bruit de la fête d'hier soir. Dans la rue, à un passage piétons, un chien m'a <u>mordue</u> et son maître m'a <u>insultée</u>, tout ça parce que j'avais marché sur la patte de l'animal ! Mais ce n'est pas fini !... Dans le métro, un jeune m'a <u>bousculée</u> et en a profité pour me <u>voler</u> mon portable. Je suis allée au commissariat le plus proche pour faire une déclaration de vol, et là on m'a <u>ignorée</u> pendant une demi-heure avant de me <u>rediriger</u> vers un autre poste de police. Arrivée là-bas, j'ai tout expliqué à des policiers qui ne m'ont pas <u>prise</u> au sérieux. Je suis rentrée chez moi furieuse ! C'est là que je me suis rendu compte que mon portable était tout simplement tombé au fond de mon sac... !*

Exemple : En sortant de chez moi, je <u>me suis fait agresser</u> par la voisine du dessous à cause du bruit ....

....

....

....

7

Sur une feuille séparée, écrivez un fait divers à partir de tous les éléments désignés par un même chiffre. Pour obtenir votre chiffre personnel, additionnez les chiffres de votre date de naissance (le chiffre trouvé doit être compris entre 1 et 9).

Exemple : 9 septembre = 9 + 9 = 18 = 1 + 8 = 9 = un policier à la retraite / dans une salle de cinéma / au milieu de l'après-midi / un roman du XIXᵉ siècle / deux sœurs jumelles

Victimes :
1. une vieille dame
2. un adolescent
3. un professeur
4. un chauffeur de taxi
5. un chien
6. un épicier
7. deux amis d'enfance
8. une jeune pianiste
9. un policier à la retraite

Lieux :
1. en plein centre-ville
2. dans une petite gare de province
3. à côté d'un commissariat
4. au rayon jouets d'un grand magasin parisien
5. dans un parc
6. dans un pavillon de banlieue
7. dans un petit port de pêche
8. sur une patinoire
9. dans une salle de cinéma

Objets :
1. une lettre d'amour
2. une montre en or
3. une paire de lunettes
4. une veste de costume
5. une éponge
6. un célèbre tableau
7. un sac en cuir noir
8. une boîte ancienne en métal
9. un roman du XIXᵉ siècle

Moments :
1. un soir
2. en hiver
3. le 21 mars
4. en pleine journée
5. au petit matin
6. au cœur de la nuit
7. au début de l'été
8. la veille de Noël
9. au milieu de l'après-midi

Autres personnes :
1. un ouvrier du bâtiment
2. un artiste
3. une touriste italienne
4. le conseiller d'un ministre
5. un marin breton
6. un jeune sportif
7. une syndicaliste
8. une mère de famille
9. deux sœurs jumelles

1

LEXIQUE

a) Complétez l'article suivant à l'aide des mots proposés. Faites les accords nécessaires.

écran – professionnel – télévisé – représentation – journaliste – chaîne – téléspectateur – présentateur – journal

Le .... Harry Roselmack doit présenter pour la première fois lundi 17 juillet

le .... de 20 heures, remplaçant Patrick Poivre d'Arvor pendant ses vacances. Il devient

ainsi le premier .... noir du journal .... le plus regardé de France.

Le journaliste, âgé de 33 ans, a déclaré qu'il « n'aborde pas (son) travail avec un esprit militant mais de

la façon la plus .... possible », afin « d'essayer de satisfaire le plus grand nombre

de .... ». Son arrivée sur TF1, annoncée début mars, avait suscité de nombreuses réactions.

Sa nomination avait suivi une déclaration du président de la République Jacques Chirac, qui avait demandé aux ....

publiques et privées de faire un effort en faveur de la .... de la « diversité ethnique du pays » sur

les ...., à la suite des émeutes des banlieues de novembre 2005.

S'EXPRIMER

b) Dans votre pays, la diversité ethnique de la population est-elle représentée sur le petit écran ? Comparez et échangez.

2

COMPRENDRE

a) Lisez les réflexions de I. Ramonet puis, cochez ci-dessous les problèmes qu'il aborde.

« Seul le visible mérite information. Ce qui n'est pas visible et n'a pas d'image n'est pas télévisable, donc n'existe pas. […]

Le choc émotionnel que produisent les images – surtout celles de chagrin, de souffrance et de mort – est sans commune mesure avec celui que peuvent produire les autres médias, même la photographie. […]

Le JT, spectacle structuré comme une fiction, a toujours fonctionné sur une dramaturgie de type hollywoodien. C'est un récit dramatique qui repose sur l'attrait principal d'une star, le présentateur unique. L'information principale n'est pas ce qui s'est passé mais comment le présentateur nous dit ce qui s'est passé. […]

La télévision n'est pas une machine à produire de l'information mais à reproduire des événements. L'objectif n'est pas de nous faire comprendre une situation, mais de nous faire assister à un événement. »

Ignacio RAMONET, site de l'UNESCO, février 2002.

• le pouvoir de la télévision	☐	• le devoir d'information	☐
• la manipulation des téléspectateurs	☐	• la fonction de la télévision	☐
• la puissance du cinéma hollywoodien	☐	• le rôle éducatif des médias	☐
• le statut du présentateur	☐	• la charge émotionnelle de l'image	☐
• la « chasse » aux événements	☐	• le pouvoir de la publicité	☐
• la neutralité de la photo	☐	• le poids des mots	☐
• l'organisation du journal télévisé (JT)	☐	• la censure	☐

S'EXPRIMER

b) Partagez-vous l'analyse de l'auteur ? À quels événements de l'actualité pensez-vous pour illustrer ses propos ?

3

a) Comment comprenez-vous ce document ? D'après vous, quel message l'auteur veut-il faire passer ?

....

....

....

LES MÉDIAS VEILLENT*
DORMEZ   CITOYENS

b) Êtes-vous d'accord ? Donnez au moins deux exemples pour justifier votre point de vue.

....

....

....

* veiller : rester éveillé, être de garde, surveiller.

4

a) Lisez cet article du *Canard Enchaîné* et répondez aux questions.

Le *Canard Enchaîné* est un hebdomadaire satirique fondé en 1915, qui parle de tous les scandales publics en France et à l'étranger. Il se situe à gauche, sans renoncer ni à son indépendance ni à son esprit critique. Il vit sans aucune recette publicitaire.

Le raz-de-marée des gratuits

Devinette : quels sont les seuls journaux à être passés complètement à côté du tsunami qui a ravagé le Sud-Est asiatique ? À n'y avoir consacré pas une seule ligne, pas un mot ? Les quotidiens gratuits *Metro* et *20 Minutes* : ils avaient fermé la veille de Noël ; et ils ont rouvert une semaine plus tard, lundi 3 janvier…

[…] L'une des pires catastrophes naturelles jamais vues ? Une information qui bouleverse les opinions publiques sur toute la planète ? Une tragédie qui entrera dans l'Histoire ? Les directeurs de ces journaux n'allaient quand même pas se déranger pour si peu. Et rappeler les journalistes qu'ils venaient d'envoyer en vacances. Car ce qui les intéresse, ce n'est évidemment pas l'info : c'est la pub. Or il n'y a pas assez de pub ni de lecteurs entre les fêtes pour rentabiliser leurs produits. Ça, c'est du journalisme !

Voilà pourquoi, ce lundi 3, dans le métro parisien, la vision de tous ces passagers la tête enfoncée dans *Metro* ou *20 Minutes* avait de quoi glacer[1] : ces « journaux » fabriqués avec des dépêches d'agence, des ciseaux et de la colle, qui essayaient désespérément de rattraper le temps perdu avec des photos-chocs ; cette info à consommer en dix minutes, formatée par la publicité, pour la publicité, intégralement financée par la publicité, qui n'est là que pour mettre en valeur la publicité. On connaît l'argument : leurs lecteurs ne seraient pas dupes[2]. Mais si, ils sont dupes ! Avec les gratuits, on leur fait croire que l'info ne coûte rien, il n'y aurait qu'à se baisser pour la ramasser. Et ça les arrange de penser qu'elle est gratuitement à leur disposition.

Mais c'est oublier cette évidence, que l'information a un prix : faire un reportage, mener une enquête, mettre en forme les informations, tout cela nécessite d'énormes moyens humains. *Libé* a 220 journalistes, *Le Monde* 342, *Le Figaro* 310, *La Croix* 86, etc. Tandis que *20 Minutes* en revendique 33 et *Metro* 23 (plus une dizaine chacun pour leurs cinq éditions locales).

C'est le lecteur qui, en achetant son journal, leur donne les moyens d'exercer leur profession et d'être indépendants. Moins l'existence d'un journal dépend de ses recettes publicitaires, plus il est libre, et inversement. Un journal gratuit est un journal asservi[3]. Mais les partisans des gratuits répondent que ceux-ci ne volent aucun lecteur aux payants, mieux, qu'ils relancent le goût de la lecture chez les jeunes. Faux ! Car, alors, les ventes du *Monde*, de *Libération*, du *Figaro*, de *France Soir*, de *L'Humanité* et de tous les autres devraient augmenter. Or elles baissent depuis des années…

Tandis que, selon une récente étude, […] avec plus de 2 millions de lecteurs, *20 Minutes* est devenu le 4e quotidien français d'informations générales (derrière *Ouest-France*, *Le Monde* et *Le Parisien*).

Bientôt, le premier quotidien national sera peut-être un gratuit. Et les suivants aussi. Ils ne paraîtront pas les jours sans pub. L'actualité sera priée de patienter…

D'après *Le Canard Enchaîné*,
Jean-Luc Porquet, janvier 2005. ■

1. glacer : choquer, mettre mal à l'aise.

2. ne pas être dupe : être lucide, conscient de ce qui se passe.

3. asservi : soumis, esclave.

1. Ce texte est :
- ☐ un texte informatif
- ☐ un texte argumentatif
- ☐ un texte descriptif

2. Pourquoi *Metro* et *20 minutes* n'ont-ils pas été édités pendant la période des fêtes de fin d'année ?

....

3. Pour l'auteur, quelle est la priorité des journaux comme les gratuits ?

....

4. Pense-t-il que ces parutions ont des aspects positifs ? Justifiez.

....

....

5. Quels sont les arguments des défenseurs de ce type de presse ?

....

....

6. Quel est le prix de l'information ?

....

7. Qui finance les gratuits ? Qui finance les autres journaux ?

....

8. Expliquez le rapport entre la liberté de la presse et la publicité selon l'auteur.

....

....

S'EXPRIMER

b) Partagez-vous le point de vue de l'auteur ? Pourquoi ?

....

c) Existe-t-il des journaux gratuits dans votre pays ? Comment sont-ils perçus ?

....

....

5

S'EXPRIMER

Qu'est-ce qui vous fait réagir dans les informations que vous avez lues, vues ou entendues ces derniers jours ? Pour en parler, utilisez les expressions suivantes :

Ça me choque, ça me révolte
Ça m'écœure
Ça me désole
Ça me fait peur, ça me terrorise   } que... / de...
Ça m'étonne
Ça m'horripile, ça m'énerve
Ça m'amuse

EXPRIMER LA CAUSE ET LA CONSÉQUENCE

Outils *pour...*

1

Repérez dans la grille (verticalement et horizontalement) les mots qui vous permettront de reconstituer le message caché :

LA .... DU ....
.... VA ....
LA ....
DES ....

L	A	W	L	T	X	G	O	A	M	I	N	A
S	D	E	C	L	A	R	A	T	I	O	N	B
A	K	X	M	U	Y	H	P	B	N	C	U	S
T	N	D	U	V	P	R	E	M	I	E	R	T
R	L	C	N	W	B	I	Z	C	S	K	V	P
V	A	F	O	A	C	J	R	D	T	L	W	Y
E	M	G	P	C	Z	K	S	E	R	M	X	U
Z	I	P	R	O	V	O	Q	U	E	R	Y	M
I	A	H	Q	L	D	L	T	F	O	N	Z	T
N	E	I	D	E	S	M	U	G	P	Q	B	Y
S	R	J	G	R	F	I	V	H	S	T	R	O
B	S	K	S	E	T	U	D	I	A	N	T	S

2

Reliez les deux phrases par une expression de cause ou de conséquence.

1. La grippe aviaire – les éleveurs ont enfermé leur volaille pendant un certain temps.

....

2. En Angleterre, 4 femmes sur 5 craignent de conduire seules la nuit – une compagnie d'assurances a mis à leur disposition un passager gonflable.

....

3. Nous n'avons pas de télé à la maison – nous suivons l'actualité à travers la presse écrite.

....

4. *Apple* affiche des résultats records – énorme succès de son iPod.

....

3

Imaginez un lien logique possible entre les deux éléments et écrivez la phrase correspondante comme dans l'exemple.

Exemple : un gros orage — un vol de bijoux
→ *Des bijoux ont été volés <u>à la suite</u> d'une coupure de courant <u>provoquée</u> par un gros orage : <u>en effet</u>, le système d'alarme de la bijouterie n'avait pas fonctionné.*

1. des nains de jardin – problèmes de voisinage

→ ....

2. un défaut de prononciation – une rencontre amoureuse

→ ....

3. un pari – une caisse de champagne

→ ....

4. un accident – des retrouvailles

→ ....

4

Mettez-vous par deux et choisissez une situation. Préparez un dialogue et jouez la scène. Employez des expressions de cause et de conséquence pour justifier votre attitude.

1. Vous arrivez en retard de plus d'une heure à un entretien d'embauche très important pour votre carrière. Vous vous justifiez comme vous pouvez pour rassurer le recruteur sur votre sérieux, mais il ne vous croit pas. Vous insistez.

2. Votre meilleur(e) ami(e) vous demande un service que vous ne pouvez pas lui rendre. Vous lui expliquez le problème mais il/elle ne vous croit pas. Vous lui exposez les autres raisons pour lesquelles vous devez refuser.

ÉVOQUER UN ÉVÉNEMENT NON CONFIRMÉ

5

Transformez ces informations en informations non confirmées et vice versa, comme dans les exemples suivants.

Exemples : La pollution est à l'origine du réchauffement climatique. ➜ *La pollution serait à l'origine...*
    Le match aurait été interrompu par des violences dans les tribunes de supporters. ➜ *Le match a été interrompu...*

1. Ce chanteur a fait plusieurs tentatives pour arrêter le tabac et l'alcool.

....

2. Le maire risquerait 6 mois de prison et 22 000 euros d'amende pour ses propos racistes.

....

3. Les longues silhouettes qui défilent sur les podiums n'ont plus autant de succès : la mode est désormais aux rondeurs.

....

4. Une exposition mondiale de toilettes se serait ouverte à Bangkok.

....

5. Le président va se représenter comme candidat aux prochaines élections.

....

6

Mettez en forme les notes prises par un journaliste. Les informations n'ont pas été vérifiées, soyez donc prudent dans la formulation.

1. ....
2. ....
3. ....
4. ....
5. ....

Infos insolites du jour
1. *La reine d'Angleterre — la plus grande collection de timbres au monde*
2. *Jean-Paul II — héros d'un dessin animé*
3. *Un tableau volé il y a 41 ans — retrouvé grâce au Web*
4. *Un homme — marié 201 fois en 48 ans*
5. *Des pompiers occupés pendant une semaine — sauver un chien*

7

À partir de l'un des titres de presse suivants, rédigez une dépêche en évoquant le fait mais en nuançant vos propos, faute d'informations suffisantes.

Un mouton retrouvé en Nouvelle-Zélande avec 27 kg de laine sur le dos

Du chocolat noir sous haute surveillance à l'aéroport d'Amsterdam

UN JEU VIDÉO POUR VACCINER CONTRE LA COCAÏNE

La vie au quotidien

1

a) Lisez les conseils donnés aux étudiants sur ce site et associez les titres suivants aux paragraphes correspondants.

Les tracts – Planifier son action – Les affiches – Une pétition – Les slogans – La première AG (assemblée générale) – Les autocollants – Les interventions en amphi*

◄ ► ↻ + http://www.animafac.net Google

Petit guide à l'usage des étudiants
Fiche 39 : *Mener une campagne d'opinion*

➤ **1.** .... : c'est le seul mode pour garantir un maximum de démocratie et de clarté. Simplifier l'organisation et s'assurer de recueillir le plus grand nombre de compétences, d'idées nouvelles. Le choix du lieu est décisif. Une salle dans la fac peut être un bon choix, mais il faut être sûr de pouvoir en disposer régulièrement (rien ne vaut de se retrouver chaque semaine à la même heure).

➤ **2.** .... : d'abord, se mettre d'accord sur l'esprit et les objectifs de la campagne. Se poser les questions suivantes : Qui est concerné ? Que peut-on exiger ? Jusqu'où est-on prêt à aller ? (attendre un peu avant de bloquer le boulevard périphérique ou même d'occuper le bureau de la présidence de la fac…). Une fois les objectifs déterminés, se poser la question des moyens : Sur qui peut-on compter ? Comment gagner des renforts ? Comment recueillir des informations ?

➤ **3.** .... : d'abord, trouver une (ou plusieurs) formules. Une formule unique marque mieux les esprits.

➤ **4.** .... : toujours préférer les diffusions massives avec un nombre conséquent d'étudiants (5 au minimum) que des distributions éparpillées. Toujours être prêt, bien sûr, à expliquer plus précisément les enjeux de la campagne aux étudiants qui reçoivent vos œuvres : provoquer le débat, c'est aussi la finalité.

➤ **5.** .... : pour les collages, tâchez de venir en nombre : vous passerez un meilleur moment. On peut s'offrir de vrais « panneaux » à petit prix en pratiquant les « tags » à l'aide de peinture en bombe et de patrons en papier.

➤ **6.** .... : un outil qui n'est pas à la portée de toutes les bourses mais qui peut se révéler aussi ludique qu'efficace. Deux couleurs et un bon dessinateur suffisent pour composer de petits chefs-d'œuvre à offrir aux étudiants. L'effet est garanti et, si le ton est assez léger (et le thème assez grave), les étudiants se prendront volontiers au jeu.

➤ **7.** .... : c'est davantage un moyen pour provoquer un vote, une explication, une relecture… qu'une fin en soi. En revanche, c'est un formidable outil de sensibilisation. Il permet d'abord de rencontrer les étudiants, de pouvoir développer largement une thèse avant de recueillir une adhésion. Il permet ensuite de nouer des contacts.

➤ **8.** .... : sauf urgence ou force majeure, il vaut mieux avoir la courtoisie de demander au professeur qui s'apprête à faire cours son autorisation préalable.

D'après www.animafac.net par Thomas Poirier, 1997.

---

* amphi : amphithéâtre, salle de cours à l'université.

b) Que pensez-vous de l'organisation proposée dans le document ? Pensez-vous que ce genre d'action puisse être efficace ? Dans quel(s) cas ?

c) Avez-vous déjà organisé et/ou participé à une action pour défendre vos idées ? Comment avez-vous procédé ?

2

Complétez ce témoignage paru sur un forum Internet à l'aide des mots proposés.

donner de moi-même – humanitaire – franchir le pas – s'investir – bénévole

« Je suis .... dans une association .... locale depuis un an et demi. En tant que mère

de famille, je ressens le besoin de .... pour les autres. C'est un spot publicitaire qui m'a fait

.... Pour l'instant, je ne .... que quelques heures par mois mais je sais que

je ne vais pas m'arrêter là ! »

3

Marion écrit à une association pour demander des précisions avant de s'engager. Reconstituez sa lettre en numérotant les phrases.

a. Seulement voilà, je ne sais pas comment m'y prendre ! Je me pose un certain nombre de questions.

b. Je vous remercie d'avance de votre réponse.

c. Cela fait quelques semaines que je me dis que ce serait bien de m'investir dans une organisation comme la vôtre, pour essayer de rendre meilleure la vie de ceux qui souffrent.

d. J'espère que vous pourrez me renseigner sur ces différents points, mon engagement futur en dépend.

e. J'ai parfois participé financièrement, mais je pense que ce serait bien de faire plus en donnant un peu de mon temps.

f. Cherchez-vous des bénévoles sur la région ? Faut-il avoir des compétences spécifiques ou la bonne volonté est-elle suffisante ? Pourrai-je m'investir même de façon occasionnelle ?

g. Madame, monsieur, je viens de trouver dans ma boîte aux lettres une brochure présentant votre association.

4

Lisez cette plaquette présentant les différentes associations de votre ville. Vous souhaitez adhérer à l'une d'elles. Sur une feuille séparée, rédigez un mél au président de celle que vous avez choisie pour l'en informer et lui demander des précisions sur les activités de l'association.

Les associations de la ville

la ville à vélo
Adresse : 18, rue du chemin vert
Mél : lavilleavelo@cheminvert.org
Permanence : le mercredi de 14 h à 18 h et le samedi de 10 h à 12h.

Collectif de Vigilance contre les discriminations
Lutter contre toutes les formes de discrimination.
Adresse : 6, rue Casanova
Mél : cvcr@ensemble.org
Responsable : M. Mathieu Dufay

Ensemble contre les nuisances sonores
Lutter contre les diverses nuisances sonores qui empoisonnent notre quotidien
Mél : jean.bado@free.fr
Adresse : 19, rue Marcel Lamant
Permanence : le mardi et le jeudi de 14 h 30 à 17 h.

Les Restos du cœur
Apporter une aide alimentaire aux personnes les plus démunies de la ville.
Mél : restosducoeur@asso.org
Responsable : M. Daniel Le Bec
Permanence : de décembre à mars, tous les jours de 8 h 30 à 11 h 30 sauf samedi et dimanche

AIDER, ENCOURAGER À L'ACTION

Outils *pour...*

1

Complétez les dépêches suivantes avec les expressions de la liste. Plusieurs réponses sont parfois possibles.

aide – main-forte – assistance – solidarité – soutien – coup de main – appui

1. Suite aux ouragans qui ont balayé le pays, des volontaires ont offert leur .... pour déblayer les routes encombrées par des centaines d'arbres déracinés.

2. Pendant ces journées dramatiques consécutives aux inondations, tout le monde était occupé à sauver ses biens ou à prêter .... aux voisins.

3. Suite au conflit, l'UE a offert son .... sous la forme d'une .... humanitaire et d'urgence.

4. La communauté internationale s'est mobilisée et a exprimé sa .... devant cette terrible catastrophe naturelle en envoyant des dons.

5. Le directeur général de l'Unesco a proposé le .... de l'organisation aux pays dévastés par le séisme et les tsunamis au large de Sumatra.

6. Des chirurgiens étrangers ont donné un .... aux médecins locaux pour soigner les blessés.

7. Télécom Sans Frontières est une ONG humanitaire spécialisée dans les télécoms d'urgence. Son projet est d'apporter un .... aux victimes de catastrophes naturelles, en créant un lien avec le reste du monde.

2

Imaginez dans quelle situation on pourrait formuler les messages suivants.

Exemple : « Tenez bon, les secours arrivent ! » ➜ *Un passant (qui vient d'appeler les secours) à un cycliste qui a fait une chute.*

1. « Courage pour la dernière épreuve ! Je suis sûre que tu vas réussir. »

....

2. « Nous vous soutenons dans votre action. Ne perdez pas confiance ! »

....

3. « Tiens le coup jusqu'à l'arrivée, on prépare le champagne ! »

....

4. « Garde le moral, tu vas bien finir par décrocher un entretien ! »

....

3

Que dites-vous dans ces situations ? Variez les formulations pour encourager votre interlocuteur.

1. Une amie vous téléphone, elle vous annonce qu'elle vient d'être licenciée.

....

2. Vous rencontrez un ami étudiant qui est épuisé par son travail et semble démoralisé à l'approche des examens.

....

3. Votre voisine frappe à votre porte, son petit ami vient de la quitter : elle est abattue.

....

4. Votre frère cherche un appartement depuis des mois, il a passé sa journée à faire le tour des agences immobilières, en vain.

....

4

Soulignez les participes présents et les gérondifs et identifiez la valeur exprimée (temps, cause, manière, condition).

1. Sur place, la mobilisation est importante : les bénévoles et les membres du comité de soutien travaillent en collectant produits alimentaires, vêtements, en assurant un accès aux soins, etc. ➜ ....

2. Ne pouvant se faire entendre des autorités, cet immigré a entamé une grève de la faim. ➜ ....

3. En sensibilisant davantage les gens aux problèmes rencontrés par les sans-papiers, on pourra peut-être faire avancer les choses. ➜ ....

4. En allant sur le terrain, il a pu accomplir sa mission et se sentir véritablement utile. ➜ ....

5. C'est en protestant contre ces injustices qu'on a pu obtenir le retrait du projet de loi. ➜ ....

5

Complétez les slogans en choisissant le gérondif ou le participe présent du verbe entre parenthèses.

1. Sauvez des vies .... (donner) votre sang !

2. Pour une société .... (offrir) plus d'opportunités aux jeunes !

3. .... (devenir) bénévole dans notre association, vous donnerez autant que vous recevrez.

4. .... (faire) un don aux Restos du cœur, vous permettrez aux plus démunis de manger des repas chauds cet hiver.

5. Recherchons bénévoles .... (avoir) envie de s'investir à nos côtés.

6

Lisez le témoignage de Sonia puis reformulez comme dans l'exemple, en expliquant comment elle a préparé son voyage au Cambodge et comment elle a fait sur place pour aider les enfants.

Exemple : Sonia a préparé son voyage au Cambodge en sollicitant des entreprises..., elle a aidé les enfants en...

....

....

....

....

....

....

....

....

....

....

....

Sonia, 20 ans : je suis partie avec une ONG au Cambodge
« J'ai beaucoup voyagé avec mes parents mais jamais je n'avais vu autant de misère. Le jour de mon arrivée, je suis passée directement de l'aéroport au bidonville. J'étais bouleversée. Là-bas, les enfants ont certes besoin de riz, de soins, mais surtout d'attention et d'affection. Avec les autres volontaires, on organise des jeux d'eau ou de ballon, des ateliers masques ou perles, des boums ou des olympiades sportives. Au début, j'étais un peu sceptique sur notre utilité. Pour payer le matériel et les traducteurs, on a tous sollicité des entreprises en France et les conseils régionaux. Pour m'offrir le voyage, j'ai claqué mes économies et multiplié les baby-sittings. Peut-être valait-il mieux leur envoyer l'argent et rester en France. Mais quand je les vois, je sais pourquoi je suis là. Lorsqu'ils s'offrent les bracelets qu'ils viennent de fabriquer, je me dis que le pari est gagné. »

D'après *Phosphore*, Florence Martin, décembre 2005.

1

Complétez les témoignages suivants à l'aide des mots proposés. Faites les transformations nécessaires.

manifestation – informer – pétition – association – dénoncer – défendre – sensibiliser – adhérer – organisation

1. « Je ne suis pas engagé dans une .... mais il m'arrive souvent de descendre dans la rue pour ....
une cause. Lors de ces ...., je rencontre d'autres personnes qui ont les mêmes idées que moi, ensemble nous
.... ce qui nous paraît injuste dans ce monde. »

2. « J'ai été .... à cette question quand on m'a demandé de signer une .... Le soir même, j'ai cherché
des informations sur Internet et j'ai découvert cette .... non gouvernementale. Depuis, j'y ai ....
et je suis moi aussi amené à .... les gens. »

2

Lisez les témoignages suivants et repérez les arguments des partisans des grèves et de ceux qui sont antigrèves.

Micro-trottoir : Que pensez-vous du droit de grève ?

🖉 « Je pense qu'en France, les fonctionnaires ont tendance à abuser de ce droit. On se met en grève
pour un oui, pour un non, et ça retombe sur nous, les usagers. Je pense surtout aux grèves dans les
transports en commun, on se sent pris en otages ! »

🖉 « Les grèves, ça fait partie de la tradition française, ce n'est pas pour rien qu'on est champion d'Europe !
Dans les pays scandinaves, on privilégie la discussion avant l'action, ici c'est le contraire, c'est le
conflit qui déclenche la négociation. Nos dirigeants essaient de faire passer les choses par la force, en
se disant « on verra bien, ça passe ou ça casse ! », et ils attendent que ça casse vraiment pour faire
machine arrière... »

🖉 « Moi, je suis une salariée du privé, je ne peux pas me permettre de me mettre en grève au moindre
conflit, de perdre des journées de salaire... mais je soutiens ceux du public quand ils manifestent leur
mécontentement. Ça débouche le plus souvent sur des négociations, la preuve que c'est efficace ! »

🖉 « Moi, je trouve ça violent et puis, ça ne débouche sur rien la plupart du temps. Ça sert juste à faire
du bruit. J'ai vu des grévistes agresser des collègues qui ne faisaient pas grève, les insulter. Ils sont
allés jusqu'à séquestrer notre chef d'équipe, vous vous rendez compte ?! »

🖉 « La grève ? C'est un mal nécessaire ! Il faut parfois une action forte pour faire bouger les choses.
Sinon, c'est la paralysie sociale. Si des gens dans ce pays ne s'étaient pas battus pour obtenir
de meilleures conditions de travail, les congés payés et tout ça, on n'en serait pas aux 35 heures
aujourd'hui ! »

D'après *DS Magazine*, décembre 2005.

ARGUMENTS POUR	ARGUMENTS CONTRE

3

a) Classez ces grèves par ordre d'importance selon vous, puis discutez de vos choix avec votre voisin(e).

a. Grève des garçons de café contre l'obligation de se raser la moustache (1913).

b. Grève des lycéens pour la mixité dans les classes (1980).

c. Grève contre la vidéosurveillance des employés (chez LIDL[1]) (2005).

d. Grève pour valoriser le statut des stagiaires (2005).

e. Grève des éboueurs[2] à Marseille contre la réorganisation du rythme de travail (2006).

f. Grève des buralistes contre l'interdiction de fumer dans les lieux publics (2006).

g. Grève contre la précarité des Contrats Première Embauche (CPE) (2006).

h. Grève des étudiants contre la grève : contre le blocage des universités, pour la reprise des cours (2006).

---

1. LIDL : supermarché.
2. éboueurs : employés chargés de débarrasser la voie publique des ordures ménagères.

b) Pour quelle autre cause seriez-vous prêt(e) à faire grève ?   `S'EXPRIMER`

....

c) Et dans votre pays, y a-t-il des grèves ? Comment les gens manifestent-ils leur mécontentement ?

....

....

4   `S'EXPRIMER`

Décrivez les dessins ci-dessous. D'après vous, quel est le message de l'auteur ?

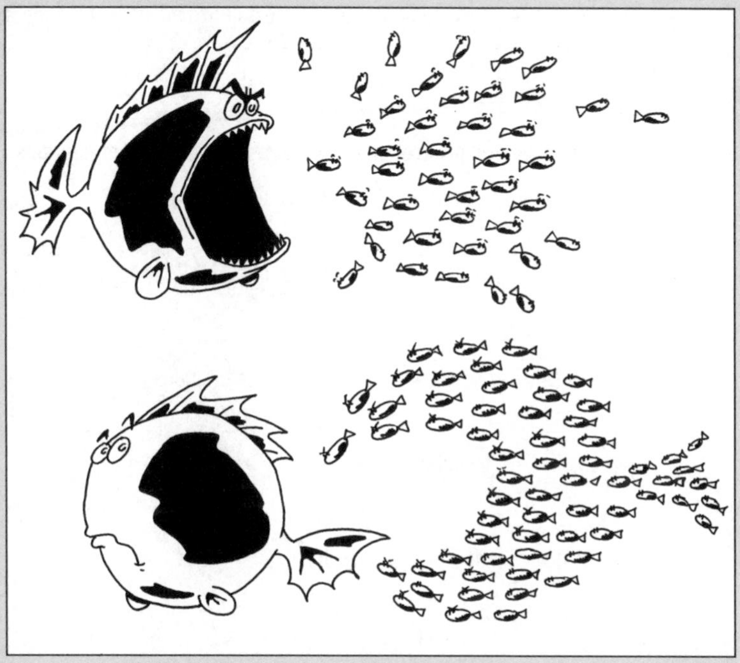

5

Lisez les messages sur ce forum de discussion et répondez aux questions.

➤ FORUM	
Discussion : Faut-il régulariser les sans-papiers ?	
Morgane, 27 ans	On ne peut pas fermer les yeux sur les problèmes politiques des autres pays. Les populations civiles sont les premières à en subir les conséquences. Il faut renforcer notre position de défenseurs de la démocratie et mettre en œuvre le fameux « Liberté, Égalité, Fraternité. »
Laura, 23 ans	Je ne crois pas qu'une loi suffise à régler ce problème. On pourrait envisager la délivrance de papiers provisoires, qui seraient définitivement accordés après une période d'essai et une réussite de l'intégration. Les clandestins se retrouvent dans des situations de précarité épouvantables. Il en résulte une grande misère à laquelle l'État ne peut répondre.
Cris, 34 ans	Actuellement, les services sociaux croulent sous les demandes. Le gouvernement a du mal à venir en aide aux citoyens en situation précaire. Il ne serait pas correct d'accorder une régularisation sans que cette dernière puisse être encadrée par le personnel nécessaire.
Wassim, 30 ans	S'opposer à cette régularisation est totalement injuste. Les sans-papiers ne peuvent pas circuler librement dans la rue. Quand on parle des sans-papiers, on oublie que certains entrent légalement, puis voient leurs papiers expirer. Ils deviennent alors hors-la-loi. Parmi eux figurent des réfugiés qui ont peur de devoir repartir dans leur pays.

D'après *L'Étudiant*, Sophie Laporte, juillet-août 2005.

a) Dites qui de Morgane, Laura, Cris et Wassim aurait pu dire ces phrases en réponse à la question posée sur le forum.

1. Oui : « On prive certaines personnes de leurs droits les plus fondamentaux. »	....
2. Non : « La France n'a pas les moyens de suivre l'intégration des sans-papiers. »	....
3. Non : « Je ne pense pas qu'on puisse aujourd'hui gérer ce phénomène. »	....
4. Oui : « La France doit rester une terre d'accueil. »	....

b) Expliquez avec vos propres mots les extraits de ces témoignages :

1. « fermer les yeux sur les problèmes politiques » : ....
....

2. « notre position de défenseurs de la démocratie » : ....
....

3. « les services sociaux croulent sous les demandes » : ....
....

4. « une réussite de l'intégration » : ....
....

5. « Ils deviennent alors hors-la-loi » : ....
....

c) Quelle est votre opinion à ce sujet ? ....
....
....

EXPRIMER DES OBJECTIFS

Outils pour...

1

Soulignez dans ces extraits les expressions qui évoquent l'idée de but.

Exemple : En remportant la Route du Rhum en 7 jours et 17 heures, Lionel Lemonchois a <u>réalisé son rêve</u>.

1. Lucien a organisé un grand repas de quartier pour réunir tous ceux qui, d'habitude, se croisent mais ne se regardent pas. Ce jour-là, il a atteint l'objectif qu'il s'était fixé en créant son association.

2. Combattre les actes de malveillance est la mission de cette organisation.

3. L'ambition de ces associations de femmes est de se réunir pour lutter ensemble contre les inégalités.

4. Nous avons mis en place un système de protection qui vise à protéger les enfants qui naviguent sur le Web.

5. La « ménagère de moins de cinquante ans » est la cible de nombreuses publicités agressives.

6. Ils sont parvenus à leurs fins en obtenant une subvention pour faire fonctionner leur association.

2

Reconstituez ces phrases en choisissant une construction possible pour exprimer le but. Plusieurs combinaisons sont possibles.

1. Les publicitaires sont prêts à tout...	... afin de...	... les choses évoluent dans les banlieues.
2. Il est parti au Vietnam avec cette ONG...	... de manière à ce que...	... proposer des animations auprès des enfants.
3. Elle milite dans cette association...		... prochaines élections.
4. Ils ont manifesté...	... pour...	... les droits de l'enfant soient pris en compte.
5. Un groupe de jeunes des cités a créé un collectif...	... dans le but de...	... de l'argent.
6. Elles se sont rendues dans des orphelinats...		... soulager les autres.
7. À la rentrée, j'entame des études de médecine...	... pour que...	... faire pression sur les pouvoirs publics.
8. Elle a défendu les intérêts des agriculteurs...	... en vue de...	... se rendre utile.

3

a) Présentez les objectifs des ONG ou associations suivantes, en utilisant une expression de but. Variez les expressions.

1. L'UNICEF .... d'apporter son aide dans la lutte contre la pauvreté et la faim et dans le combat pour l'éducation et l'égalité des sexes.

2. .... de **WWF** est de mettre un terme à la dégradation de l'environnement et à la disparition des espèces animales protégées.

3. SOS Racisme .... toutes les formes de discrimination soient dénoncées et .... construire une « République métissée ».

4. Amnesty International .... défendre les droits de l'homme dans le monde entier.

5. Reporters Sans Frontières .... de lutter pour la liberté de la presse et la liberté d'information.

6. **Droit au Logement** est une association française dont .... de permettre aux populations les plus fragilisées d'avoir accès à un logement décent.

b) Sur le même modèle, présentez une ONG que vous connaissez ou une association de votre pays.

....

....

4

Regardez l'illustration suivante puis imaginez et rédigez les objectifs de chaque association en utilisant des expressions de but.

....
....
....
....
....
....
....
....
....
....
....
....
....
....
....
....
....

EXPRIMER LA DURÉE

5

Choisissez l'expression de durée qui convient (*pour, pendant, depuis*).

1. Il est parti en mission à l'étranger .... une période de deux ans. Pour s'y préparer, il avait pris des cours intensifs de langue .... six mois. Il vit là-bas .... quatre mois, et il peut déjà se débrouiller seul dans la vie quotidienne.

2. Elle a enseigné le français .... neuf mois en Chine et elle est rentrée en France .... quelques mois seulement, juste le temps de trouver un autre poste à l'étranger. .... qu'elle est rentrée, elle ne pense qu'à une chose : repartir .... plusieurs années !

3. Ils ne sont restés membres de cette association que .... un an, alors qu'ils s'étaient engagés .... une période beaucoup plus longue.

4. Il était de passage dans sa ville natale .... deux ou trois jours seulement mais il a décidé de prolonger son séjour et de rester .... une semaine pour s'occuper de sa famille.

5. Les cheminots s'étaient mis en grève .... quelques jours seulement, mais comme le conflit avec la direction de la SNCF s'est durci, le mouvement a continué et a paralysé la France .... deux semaines.

6

Lisez ce CV et complétez le parcours de Michèle en utilisant des expressions de durée.

Michèle BRUYÈRE
101, boulevard de la Guyane
94160 Saint-Mandé
01 45 78 62 39
06 00 76 98 26
mbruyere@free.fr
42 ans, mariée, 1 enfant

INFIRMIÈRE

■ EXPÉRIENCE PROFESSIONNELLE

2004 – à ce jour (2007)	Hôpital Jean Mermoz – Saint-Maurice Service de gynécologie et obstétrique et lutte contre la stérilité
2000 – 2004	Hôpital Béguin – Saint-Mandé Service des urgences
1998 – 2000	« Médecins Sans Frontières » – Éthiopie Centre de soins
1988 – 1992	« Le Logis des Enfants » – Perpignan Animatrice – Cofondatrice Création d'un atelier de musique et de danse en milieu défavorisé

■ FORMATION

1997	**Diplôme d'infirmière** – Nancy
1987	**Licence d'histoire** – Université de Lille
1985	**BAFA**, Brevet d'Aptitude aux Fonctions d'Animateur – Le Havre
1984	**Baccalauréat S**, médico-social – Lycée Albert Camus, Lille

■ STAGES

Juin – Sept 1996	**Hôpital Américain** – Limoges Observation du fonctionnement du service de pédiatrie

■ DIVERS

Permis B – Véhicule
Membre de l'association « Faim dans le monde »
Marraine d'enfants défavorisés et orphelins en Thaïlande et en Ouganda

---

« Je suis infirmière .... une dizaine d'années. J'ai passé un bac scientifique mais j'ai fait des études d'histoire et j'ai décroché ma licence .... vingt ans. À la sortie de la fac, je n'avais aucune idée du métier que je voulais exercer, mais je savais que je voulais travailler dans la filière médico-sociale. Comme j'avais le BAFA, j'ai d'abord fait de l'animation et je me suis occupée d'enfants défavorisés .... 1988 .... 1992. Puis j'ai préparé l'école d'infirmières et, après mon diplôme que j'ai obtenu .... 1997, j'avais envie d'une expérience forte à l'étranger : je suis donc partie .... un an en Éthiopie afin de travailler comme infirmière avec 'Médecins Sans Frontières', mais ça m'a tellement plu que j'y suis restée .... un an de plus. À mon retour en France, j'ai travaillé .... quatre ans aux urgences d'un grand hôpital, et cela .... trois ans que je suis au service de gynécologie de l'hôpital de Saint-Maurice. Si je compare mes expériences, j'ai davantage appris .... deux ans de volontariat en Afrique qu'........................ sept ans de carrière en France. Je compte repartir avec la même ONG .... deux ou trois ans, si possible dans un autre pays d'Afrique. »

La vie au quotidien

1

a) Lisez la description de l'œuvre de M.C. Escher et complétez-la à l'aide des mots proposés. Faites les modifications nécessaires.

distinguer – réalisme – premier plan – suggérer – paysage – figuratif – arrière-plan – représenter – surface – contraste

Ce tableau .... un .... : c'est un plan d'eau à la fin de l'automne.

C'est une œuvre ....

Au ...., on voit un poisson et sur la .... de l'eau, flottent des feuilles mortes.

À l'..................................., on .... le reflet d'arbres dénudés sur l'eau. C'est une lithographie* qui joue avec les .... du noir et du blanc, de l'eau et de la terre.

Les dégradés de gris .... les profondeurs.

Le .... du dessin permet d'identifier les différentes espèces d'arbres d'où proviennent les feuilles.

_____
* lithographie : reproduction par impression sur pierre d'un dessin tracé à l'encre.

b) D'après vous, quels sont les trois mondes évoqués dans le titre ?

....

Trois Mondes de M.C. Escher.

2

Reconstituez la lettre de Romain pour que ses amis puissent comprendre sa proposition.

	a. Qu'en pensez-vous ? Tenez-moi au courant pour que je m'en occupe rapidement.
	b. Romain
	c. Puisque vous ne connaissez pas encore la ville, je propose de m'occuper de tout pour vous la faire découvrir.
	d. J'ai hâte de vous revoir et de vous faire découvrir mon univers.
	e. Si ça vous dit, je propose de continuer avec une petite croisière en péniche sur le canal du Midi.
1	**f.** Salut les amis,
	g. Je suis sûr que vous allez adorer, c'est une autre façon de découvrir Toulouse et ses alentours.
	h. On pourrait d'abord faire une balade dans le centre et déjeuner sur une des places du quartier piéton.
	i. À très vite. Je vous embrasse.
	j. Pour finir la journée, je pensais réserver des places au théâtre, il y a une super programmation.
	k. Je viens de recevoir votre lettre et je suis ravi d'apprendre votre venue.

3

S'EXPRIMER

Vous aimeriez passer un long week-end avec un(e) ami(e) dans une capitale européenne. Écrivez-lui une lettre pour l'inviter à vous accompagner, donnez-lui envie de découvrir la culture de la ville choisie en lui proposant un programme.

4

COMPRENDRE

a) Lisez l'article puis répondez aux questions.

ÉDITO

Vulgariser le théâtre itinérant

Je reviens d'Italie et j'ai été surpris par le nombre et la qualité des spectacles de théâtre en plein air. L'occasion de regretter qu'il n'y ait pas plus d'initiatives de représentations théâtrales en plein air et gratuites dans notre belle capitale, si fertile en théâtres, [...] alors qu'en province et à l'étranger (je pense surtout à l'Angleterre), les initiatives de ce genre sont nombreuses sous chapiteau, en salles de fêtes, en théâtres mobiles, en roulottes et en camions. Un théâtre qui bouge et va à la rencontre d'un public qui ne va pas au théâtre, dans les villages, les petites villes oubliées par la décentralisation ou même certains quartiers des grandes villes. [...] Le théâtre revient à son essence saltimbanque[1] et nomade, qui n'est pas sans rappeler Thespis, inventeur de la tragédie grecque, qui se baladait dans les campagnes avec son chariot qui lui servait de scène. L'occasion également de rappeler que le théâtre itinérant n'est pas à déprécier au profit du théâtre plus « officiel » car il permet d'ouvrir le public, de faire connaître son art à un public qui de toute façon n'y aurait jamais eu accès, avec la volonté de maintenir une exigence artistique, car un théâtre populaire et nomade ne signifie pas « théâtre au rabais[2] ». Une itinérance qui ne saurait également faire oublier, d'un autre côté, aux artistes de se reposer la question des fondamentaux du théâtre : quel spectacle proposer, comment et dans quel espace scénique ?

D'après *ParuVendu n° 108*, Dominique Parravano, août 2006.

1. Qu'est-ce que le théâtre itinérant ? Trouvez-en des expressions synonymes dans le texte.

....

2. Où les représentations peuvent-elles avoir lieu ?

....

3. Le journaliste compare la situation en France et à l'étranger. Que constate-t-il ?

....

4. Quelle fonction ce type de théâtre joue-t-il ? Qu'est-ce qui le différencie du théâtre dit « officiel » ?

....

5. Qu'est-ce que le théâtre itinérant peut apporter aux artistes ?

....

b) Que pensez-vous de cette forme de théâtre ?

S'EXPRIMER

---

1. saltimbanque : artiste du cirque (acrobate).
2. au rabais : de mauvaise qualité.

FAIRE UNE INTERVIEW

1

Comme dans l'exemple, posez des questions sur les mots soulignés.

Exemple : La durée de vie des sculptures sur sable varie de 4 à 6 semaines.
➜ *Quelle est la durée de vie des sculptures sur sable ?*

1.

En direct, le sculpteur sur glace vous créera un Père Noël d'1,80 m, son traîneau ou la crèche, et encore bien d'autres figures. Les sculptures resteront « en vie » durant 8 à 48 h, selon les conditions climatiques et le respect du public.

➜ ....

....

....

2.

Laurent Reynès a choisi la banquise pour installer son œuvre mobile, *la Construction Voyageuse*. Elle se présente comme « une porte ouverte sur le monde ». Il espère que son œuvre dérivera pendant au moins huit mois, voire plus, en direction du Groenland.

➜ ....

....

....

....

3.

Le Ice Kube Bar à Paris a été réalisé par l'artiste contemporain Laurent Saksik à partir de 20 tonnes de glace. Le personnel prête des vêtements chauds aux clients car il fait − 5° à l'intérieur. L'entrée coûte 38 € et on ne peut rester qu'une demi-heure.

➜ ....

....

....

....

....

2

Reformulez ces questions en utilisant l'inversion, l'intonation ou *est-ce que*.

Exemple : Quand allez-vous lire le dernier roman d'Amélie Nothomb ?
➜ *Quand est-ce que vous allez lire le dernier roman d'Amélie Nothomb ?*

1. Qu'est-ce que tu fais ce week-end ?

➜ ....

2. Comment pensez-vous vous rendre au concert ?

➜ ....

3. Vous allez où pour retirer les places du spectacle ?

➜ ....

4. Avez-vous déjà vu un spectacle de ce style ?

➜ ....

5. Pourquoi est-ce que tu as arrêté les tournées ?

➜ ....

6. Quel est votre genre musical ?

➜ ....

3

Transformez ces questions insolites en utilisant l'inversion, comme dans l'exemple.

Exemple : Où se trouve le nombril du monde ? ➜ *Où le nombril du monde se trouve-t-il ?*

1. Si l'homme descend du singe, pourquoi est-ce qu'il y a encore des singes ?

➜ ....

2. Pourquoi « abréviation » est un mot si long ?

➜ ....

3. Est-ce que c'est prudent de se faire faire une chirurgie plastique chez un médecin dont le bureau est décoré avec des toiles de Picasso ?

➜ ....

4. Si je dors et que je rêve que je dors, est-ce qu'il faut que je me réveille deux fois ?

➜ ....

5. Pourquoi est-ce que les moutons ne rétrécissent pas quand il pleut ?

➜ ....

6. Comment est-ce que les panneaux « Défense de marcher sur la pelouse » arrivent au milieu de la pelouse ?

➜ ....

4

Lisez les réponses données par Audrey Tautou lors d'une interview et imaginez quelles questions le journaliste a pu lui poser.

1. Journaliste : .... ?

Audrey Tautou : J'ai vécu le phénomène Amélie Poulain comme j'ai pu, mais je crois que je n'ai pas vraiment réalisé ce qui se passait. C'est très particulier de se retrouver au cœur du tourbillon, de devenir subitement un centre d'intérêt. En fait, la célébrité est ma plus grande angoisse.

2. Journaliste : .... ?

A. T. : Amélie, ce n'est pas moi, c'est un personnage à part entière. Nous n'avons pas la même façon de nous habiller, pas la même coiffure. Ce personnage m'a marquée, a marqué le public. Mais ce qui compte d'abord, c'est le succès du film. Après cela, je sais me défendre... Amélie, c'est mon bagage, elle m'accompagne, mais c'est tout.

3. Journaliste : .... ?

A. T. : Je ne me pose pas beaucoup de questions. Le travail de comédien est aussi abstrait pour moi que pour vous. Je crois être assez instinctive. Je n'ai pas de méthode et je ne travaille pas devant ma glace. N'ayant pas envie de réfléchir à la psychologie du personnage que je dois interpréter, je m'amuse avec lui.

4. Journaliste : .... ?

A. T. : J'ai toujours aimé le théâtre, les costumes, les décors... Mes parents m'ont offert, en cadeau de bac, un stage d'été de 15 jours au cours Florent*. Ça m'a tellement plu que j'ai continué à la rentrée, parallèlement à la fac de lettres modernes, sans oser imaginer en faire mon métier, même si j'en rêvais inconsciemment et secrètement.

5. Journaliste : .... ?

A. T. : Je suis quelqu'un d'indépendant et de solitaire. Pour être bien dans ce métier, j'ai l'impression qu'il faut veiller à ce que ce ne soit pas la seule chose qui vous anime et avoir de bons amis, fidèles, avec qui on passe des moments vrais.

5

Qui aimeriez-vous interviewer ? Quelles questions aimeriez-vous poser à cette personne ?

_____

* cours Florent : école de théâtre et de cinéma à Paris.

1

LEXIQUE

Lisez les critiques suivantes. Dites si elles sont positives (+) ou négatives (−). Notez le signe qui correspond à côté de chaque phrase.

1. Un polar intrigant, exotique et stylé, soutenu par des comédiens inspirés.

2. Desservi par une mise en scène d'une extrême lourdeur, ce film sur la folie ne fait qu'effleurer son sujet.

3. À écouter absolument !

4. Hélas ! Les promesses de la distribution sont balayées par un scénario insignifiant. D'ailleurs, y avait-il un scénario ?

5. Courons à Marly pour une balade au musée-promenade !

2

COMPRENDRE

a) Lisez le synopsis puis les deux critiques du film *Prête-moi ta main*. Dites laquelle est la plus convaincante selon vous et pourquoi. Iriez-vous voir ce film au cinéma ?

Prête-moi ta main Comédie d'Éric Lartigau (France 2006 — 1 h 30) Avec Bernadette Lafont, Charlotte Gainsbourg, Alain Chabat

Synopsis

Il s'appelle Luis, fils unique d'une famille nombreuse, homme unique depuis la mort du père. À 43 ans, c'est un célibataire heureux, entouré de sa mère et ses cinq sœurs. Pourtant, celles-ci pensent qu'il serait temps qu'il se marie. Pour avoir la paix, Luis imagine un plan idiot : louer la sœur d'un collègue et organiser un faux mariage auquel elle ne se présentera pas. Rien de tel selon lui pour faire passer l'envie de la cérémonie à sa famille. Mais rien ne va se passer comme prévu...

On se croirait dans une comédie américaine. C'est le sujet romantique dont Hollywood a fait ses délices, avec quelques stars interchangeables comme Julia Roberts et Richard Gere ou Meg Ryan et Billy Cristal. La bonne surprise est de voir le cinéma français s'en inspirer, mais sans faire un simple copier-coller. [...]

Une bonne trouvaille du scénario permet de relancer le rythme et le piquant de la situation, après le ratage de la première cérémonie nuptiale. La cadence est savoureusement maintenue jusqu'à la chute finale inévitable, activée par des dialogues qui pétillent. Chabat interprète un personnage taillé pour son humour, son aisance et son charme. Mais face à lui, Charlotte Gainsbourg se régale tout autant en composant une fiancée à multiples facettes avec le même naturel et la même séduction. Il n'y a qu'elle pour faire de quelques gros mots des douceurs à nos oreilles.

L'affaire est joliment emballée par Éric Lartigau qui peut espérer partir à la rencontre d'un bon succès populaire. C'est frais et léger. Bien sûr que ça s'oublie très vite. Mais ça fait passer un bon moment. Celui d'un vrai divertissement.

D'après *Ouest-France*, Pierre Fornerod, novembre 2006

➤ FORUM Fluctuat — Cinéma

Discussion : Prête-moi ta main — Éric Lartigau

Posté le 01-11-06

Un plan qui ne se passe pas comme prévu, un couple qui s'oppose avant de se rapprocher, la formule est standard au possible. [...] Le film glisse vite vers l'humour le plus basique, puis tourne finalement en comédie romantique à l'américaine. Fini l'entrain, les rires, la distance. Bonjour les émotions mièvres[1], les gros sabots[2], le déjà-vu mille fois. Pour dépasser la faiblesse de l'histoire, franchement sans surprise et tirée par les cheveux[3], il aurait fallu plus d'audace et de fun. Manque de rythme, mise en scène oubliable, voilà de quoi ennuyer.

Au crédit, il faut reconnaître que l'assemblée mère/sœurs est piquante, les pauvres maris et gendres excellents, Alain Chabat pas mauvais et Charlotte Gainsbourg plutôt à l'aise. Par contre, le couple ne fonctionne pas une seconde et on cherche en vain l'émotion amoureuse dans les regards échangés. [...] Alors que la force d'une telle comédie réside souvent dans le dynamisme et la fraîcheur des dialogues, ceux de *Prête-moi ta main* ne sont pas réussis. Trop inégale, la qualité d'écriture fait défaut, si bien que le jeu des comédiens tombe régulièrement à plat[4]. Douloureux moment alors ? Pas plus qu'un téléfilm qu'on laisse filer d'un œil, petit sourire aux lèvres.

---

1. mièvres : fades, d'une douceur affectée.

2. les gros sabots : allusions trop grosses, intentions trop claires.

3. tirée par les cheveux : peu crédible, amenée de manière forcée.

4. tomber à plat : être un échec complet.

b) Relevez les principales critiques concernant les éléments suivants :

	OUEST-FRANCE	FLUCTUAT
Mise en scène		*oubliable*
Scénario/histoire		
Rythme		
Dialogues/répliques		
Jeu des acteurs : A. Chabat Ch. Gainsbourg Autres		

3

Décrivez et commentez les dessins suivants.

D6

Points de vue sur... Points de vue sur... Points de vue sur...

COMPRENDRE

4

Auteur	*Discussion : La culture tue-t-elle le plaisir ?*
Clément, Posté le 06/12/2005 à 00:06	Ce soir j'ai été au théâtre avec des amis, élèves d'une école de théâtre parisienne. Personnellement j'ai été enchanté par le spectacle. J'ai trouvé ça fabuleux, et pourtant je m'estime assez critique en la matière. Mes camarades étaient beaucoup moins satisfaits. Ils ne retrouvaient pas la magie de l'univers de Marceau[1], et étaient dérangés par le fait que les acteurs ne respectent pas les principes académiques du théâtre corporel. Ce n'est pas la première fois que je constate ce décalage, et à chaque fois je me pose la question. N'y a-t-il pas une accoutumance[2] à être trop cultivé ? Lorsque l'on connaît la bonne musique, peut-on encore écouter avec satisfaction la radio ? Je ne suis pas assez cultivé pour connaître l'étendue du problème, mais je me dis juste qu'avec un peu moins de culture, j'aurais autant de plaisir à regarder la Star Ac'[3] que celui que j'ai eu à lire les plus grands écrivains... En serais-je moins heureux ? Ou plutôt, si je retourne la question, que m'apporte ma culture ? À part la satisfaction de me savoir cultivé ? Ce n'est que de la vanité non ? Et pourtant, cultivé, je ne le suis pas tant que ça...
Maxime, Posté le 06/12/2005 à 13:43	Je vois ce que tu veux dire. Tu parles de ce sentiment d'être blasé alors que ton voisin moins cultivé a des étoiles plein les yeux. Cette petite frustration de ne pas retrouver ce plaisir quasi enfantin, cette magnifique faculté de s'émerveiller d'un rien que semblent avoir seulement les gens « ignorants »... Bien sûr, notre culture modifie notre perception de l'art, du monde, mais je ne pense pas que cela se fasse forcément au détriment de notre capacité à prendre plaisir aux choses simples. Il y a tellement de façons d'éprouver ce plaisir, en fonction des lieux, du moment, des personnes présentes, de notre état d'esprit, de nos souvenirs... La culture est un énorme réseau de références mais ce n'est qu'une corde supplémentaire qu'une œuvre, une expérience peut ou non faire vibrer. Et qui forme, avec tout le reste, nos différences et nos goûts. En devenant « savant » dans un domaine, comme tes camarades comédiens, tu perds peut-être une part d'émerveillement, car tu ne peux pas t'empêcher d'analyser techniquement... Mais leurs connaissances leur permettent probablement de s'émouvoir sur d'autres œuvres que tu n'apprécierais pas. Et puis, même cette analyse technique peut très bien être une autre forme de plaisir.

---

1. Marcel Marceau est le mime le plus connu du monde.

2. accoutumance : fait de s'habituer, de se familiariser.

3. Star Ac' : la Star Académie est une émission de téléréalité qui propose de former des candidats à devenir des stars.

a) Lisez le message posté par Clément sur son blog et répondez aux questions. Justifiez vos réponses.

1. Clément a...   ☐ **a.** adoré le spectacle.   ☐ **b.** aimé le spectacle.   ☐ **c.** détesté le spectacle.

Justification : ....

2. Ses amis reprochent aux acteurs...
☐ **a.** la distance prise avec les conventions artistiques.   **b.** ☐ la faiblesse de leur prestation.   ☐ **c.** la lourdeur de leur jeu.

Justification : ....

3. Clément pense que ses amis...
☐ **a.** ne devraient pas donner leur point de vue.   ☐ **b.** ne devraient pas être si exigeants.   ☐ **c.** se trompent.

Justification : ....

4. Il considère être lui-même...   ☐ **a.** très cultivé.   ☐ **b.** peu cultivé.   ☐ **c.** pas cultivé.

Justification : ....

5. Il pense que la culture ne sert à rien. ☐ vrai   ☐ faux

Justification : ....

b) Lisez la réponse faite par Maxime au message de Clément et répondez aux questions.

1. Reformulez les expressions suivantes avec vos propres mots. Donnez des exemples.

– « cette magnifique faculté de s'émerveiller d'un rien »

....

– « notre culture modifie notre perception de l'art, du monde »

....

2. Maxime est d'accord avec Clément. ☐ vrai ☐ faux

Justification : ....

3. D'après Maxime, qu'est-ce qui peut procurer du plaisir ?

....

4. Pour lui, l'analyse technique est-elle un obstacle au plaisir ?

....

5. Selon lui, qu'est-ce que la culture peut nous apporter ?

....

S'EXPRIMER

c) Et vous, quel est votre point de vue ? Avez-vous déjà ressenti les sentiments décrits par ces internautes ?

5   COMMUNICATION

Deux amis discutent d'un spectacle/film sur lequel ils n'ont pas le même avis. Choisissez un spectacle/film commun avec votre voisin, préparez chacun vos arguments pour ou contre et jouez la scène.

6   S'EXPRIMER

Rédigez la critique d'un spectacle (film, pièce de théâtre, concert, etc.) que vous avez vu.

DONNER SES IMPRESSIONS

1

Reconstituez chaque extrait de critique en associant un début à une fin de phrase.

1. Je suis surprise, bouleversée ! C'est inattendu et je me retrouve étonnamment...

2. Une expo à la mise en scène absolument...

3. Encore inconnues mais vraisemblablement...

4. Resnais et ses comédiens décrivent tendrement...

5. Il faut dire que la mise en scène de Denis Podalydès met admirablement...

a. ... délicieuse, pleine de folies et d'idées merveilleuses.

b. ... le texte en valeur.

c. ... retournée... Vous m'avez touchée !

d. ... promises à un bel avenir, les comédiennes interprètent des violoncellistes au mental agité.

e. ... nos petits arrangements avec la vie.

2

Complétez ces critiques d'internautes avec l'adverbe qui convient.

systématiquement – complètement – heureusement – particulièrement – excessivement – contrairement

1. « Je n'ai pas .... rigolé, juste un petit sourire de temps en temps. »

2. « .... à la plupart des critiques, je vous le dis haut et fort : allez voir ce film ! »

3. « Le film est .... idiot mais on passe quand même un bon moment. »

4. « Tous les traits sont .... grossis mais le film ne vise pas le réalisme. »

5. « J'ai pour habitude de me méfier .... des grosses productions hollywoodiennes. »

6. « ...., tout n'est pas à jeter dans ce film : le scénario n'est pas trop mal ficelé. »

3

Remplacez les expressions soulignées par les adverbes qui conviennent dans la liste ci-dessous.

entièrement – pratiquement – régulièrement – absolument – parfaitement – difficilement – relativement – énormément – fréquemment

Je vais <u>souvent</u> à l'opéra, j'aime <u>beaucoup</u> les spectacles de danse contemporaine et bien sûr les opéras, des plus classiques comme *Carmen* aux plus modernes. Comme je prends <u>toujours</u> une place au poulailler*, c'est <u>assez</u> bon marché. Bien sûr, je ne vois pas <u>très bien</u> la scène, les expressions des artistes sont <u>guère</u> visibles, mais je me laisse charmer par la musique et l'ambiance du lieu. Je ne regrette <u>presque</u> jamais mon choix. Et je n'ai pas <u>du tout</u> besoin de lire des critiques avant d'aller au spectacle. Je me fie <u>sans réserve</u> au bon goût de mes amis !

* poulailler : galerie supérieure au théâtre.

....

....

....

....

....

....

4

Reconstituez les phrases suivantes.

1. des / effectue / l'imaginaire. / retours / et / constamment / et / allers / film / entre / réalité / la / Ce

....

2. Paris. / programme / les / de / interprété / par / impeccablement / danseurs / C'est / de / un / l'Opéra

....

3. fiction. / aisément / La / dépasse / réalité / la

....

4. surface / essentiellement / Un / plane[1] / est / couleur. / une / recouverte / tableau / de

....

5. et / piquantes / régal[2] / C'est / répliques / jouées. / de / subtilement / un

....

_____

1. plane : se dit d'une surface plate.   2. régal : plat que l'on trouve délicieux, se dit aussi de ce qui procure un grand plaisir.

5
S'EXPRIMER

Sur une feuille séparée, faites part à un(e) ami(e) de vos impressions sur le dernier film/concert/spectacle ou la dernière pièce/expo que vous avez vu(e) en utilisant des adverbes de manière.

6
GRAMMAIRE

Complétez avec le subjonctif ou l'indicatif selon le sens exprimé.

1. Je cherche un film qui (permettre) .... vraiment de se divertir.

2. On voudrait voir une pièce en français qui (être) .... accessible à un public étranger.

3. Je vous conseille de visiter ce musée qui ne (être) .... pas loin de chez vous, c'est le musée Marmottan.

4. Tu ne connaîtrais pas un lieu où l'on (pouvoir) .... à la fois se détendre et se cultiver ?

5. Y a-t-il quelqu'un dans la salle qui (savoir) .... bien dessiner ?

6. Je connais un bouquin que ton amie (dévorer) ....

7
GRAMMAIRE

Complétez avec le subjonctif présent ou passé. Faites les accords et les changements nécessaires.

1. C'est l'histoire la plus émouvante que je (lire) jamais.

....

2. C'est le premier concert baroque qu'elle (apprécier) autant.

....

3. Voici la seule toile qui (ne pas être copiée).

....

4. C'est le dernier compositeur de notre époque qui (pouvoir) se déclarer « moderniste ».

....

5. C'est l'expo la plus nulle qu'on (voir) depuis longtemps.

....

6. C'est une des histoires les moins intéressantes que nous (entendre).

....

8
GRAMMAIRE

Qualifiez une œuvre (film, roman, tableau, etc.) ou un artiste que vous connaissez avec un superlatif + *qui/que*, en utilisant les indications données.

Exemple : chanteur/engagé : Rachid Taha est le chanteur français le plus engagé que je connaisse.

1. roman/ennuyeux : ....

2. acteur/séduisant : ....

3. réalisateur/controversé : ....

4. artiste/engagé : ....

5. film/drôle : ....

6. toile/impressionnante : ....

La vie au quotidien

1

Complétez les témoignages suivants à l'aide de mots choisis dans la liste. Faites les accords nécessaires.

gaspiller – nature – planète – l'environnement – plastique – choix – attention – bio – geste – éviter – nécessité – portée – utiliser – protection – réflexe – cosmétique – détruire – écolo – trier

Natacha : « Je me suis intéressée à la .... de la nature en lisant les journaux : de scandales révoltants en nouvelles alarmantes, la .... de faire quelque chose a fini par s'imposer. On .... la Terre au nom du profit et de la consommation... Je connais les marques bios et les .... utiles sur le bout des doigts : ne pas .... l'eau, ... les déchets ou encore ne pas .... les sacs plastiques. J'aime l'idée que ces ...., en plus d'aider la ...., rendent le quotidien plus agréable. C'est un .... de vie même si je reconnais que les marques bios sont encore chères et donc pas à la .... de tout le monde et c'est bien dommage ! »

Quentin : « Je suis concerné par .... depuis que je suis tout petit. Ma mère était déjà à fond dans les produits ...., ce qui n'était pas courant à l'époque ! Alors c'est logique, je me soucie de la .... mais aussi de ma santé. Au-delà des gestes .... classiques, je porte une .... particulière à mon panier de courses. Côté salle de bains, je préfère les produits .... écologiques, le savon plutôt que le gel douche (c'est plus sain et ça .... les emballages .... !). »

2

Testez vos connaissances sur l'environnement.

QUIZ ÉCOLO

1. On n'utilise plus de sacs en plastique...
- ☐ **a.** en Norvège
- ☐ **b.** en Irlande
- ☐ **c.** aux États-Unis
- ☐ **d.** en Chine

2. En recyclant les bouteilles en plastique, on peut fabriquer...
- ☐ **a.** de la nourriture pour chiens et chats
- ☐ **c.** des bouteilles en verre
- ☐ **b.** du chewing-gum
- ☐ **d.** des vestes polaires et des oreillers

3. Pour promouvoir l'« éco attitude », le gouvernement accorde un crédit si...
- ☐ **a.** on tricote ses pulls soi-même
- ☐ **c.** on installe des panneaux solaires chez soi
- ☐ **b.** on produit moins d'un kilo de déchets par jour
- ☐ **d.** on élève des moutons pour tondre sa pelouse

4. Une télévision en mode « veille » une journée entière consomme plus que quand on la regarde pendant...
- ☐ **a.** 2 secondes
- ☐ **b.** 2 publicités
- ☐ **c.** 2 films
- ☐ **d.** 2 ans

5. La production annuelle de déchets d'un Français est de...
- ☐ **a.** 36 kilos
- ☐ **b.** 360 kilos
- ☐ **c.** 3,6 tonnes
- ☐ **d.** 36 tonnes

6. La fumée d'une cigarette pollue autant l'air que...
- ☐ **a.** un incinérateur d'ordures
- ☐ **c.** 10 voitures Diesel
- ☐ **b.** une mobylette
- ☐ **d.** une centrale nucléaire

Estelle est en train de rédiger le brouillon de son compte-rendu de stage. Complétez les éléments manquants en vous aidant de l'offre de stage à laquelle la jeune fille a répondu (faites les ajouts et les transformations nécessaires).

équiterre est à la recherche d'un(e) :

Stagiaire en animation et commerce équitable

Description des tâches :
– Participation à l'organisation de semaines d'éducation et d'information (notamment la Quinzaine du commerce équitable),
– Animation de kiosques et de conférences,
– Rencontre avec les comités étudiants militant pour le commerce équitable dans différentes universités,
– Mise à jour du répertoire des points de vente de produits équitables.

Principales exigences : français et anglais (espagnol si possible), grande rigueur, capacité à s'exprimer en public.

Objectifs :
– Comprendre l'importance de la sensibilisation de l'opinion publique,
– Acquérir une expérience de terrain,
– S'intégrer dans une équipe et intervenir lors des réunions.

Durée maximale de 3 mois. Non rémunéré. Contact : dhamelin@equiterre.qc.ca.

Estelle SILVESTRE
Étudiante en Master d'environnement.

Lieu de stage : ....

Durée : ....

COMPTE-RENDU DE STAGE

Pendant ce stage, *j'ai participé à la vie associative* d'Équiterre, un organisme écologiste basé à Montréal qui développe des projets permettant au citoyen de faire des gestes concrets pour l'environnement et la société.

J' .... des actions de sensibilisation auprès du grand public et

j' .... de terrain.

Par exemple, j' .... pour informer les gens sur le commerce équitable et les inciter à passer à l'action.

De plus, j' ...., comme la Quinzaine du commerce équitable et j'ai pu constater que ce type d'événements encourageait de plus en plus de consommateurs à acheter des produits équitables comme le sucre, le cacao, le café et le thé.

Je me suis également rendue dans des universités où j' ....

Enfin, j' ...., et j'ai remarqué que les commerces concernés étaient beaucoup plus nombreux là-bas qu'en France.

Le stage m'a donné l'occasion de .... dans une équipe sympathique et dynamique et

j' .... des réunions de travail, où la contribution de chacun a été valorisée.

J'ai trouvé cette expérience très profitable mais j'ai regretté que ....

Je .... d'envisager pour les futurs étudiants des stages d'au moins 6 mois, afin de leur permettre d'approfondir leurs connaissances et leurs recherches.

4

Vous avez fait un stage dans l'une des ONG/associations écologistes suivantes. Rédigez-en le compte-rendu sur une feuille séparée : annoncez les objectifs du stage et vos motivations, dites ce que vous avez appris en donnant des exemples précis, donnez votre opinion, exprimez une proposition.

WWF — France
– protection des espèces menacées
– gestion durable des forêts
– protection des eaux douces, océans et côtes

Réseau Sortir du Nucléaire
– maîtrise de l'énergie
– développement d'autres moyens de production électrique (énergies renouvelables)

Intelligence verte
– promotion de l'agriculture biologique
– réhabilitation de variétés agricoles anciennes (ex : potimarron, tournesol géant, etc.)

Association « Vivre en ville autrement »
– défense des piétons, cyclistes urbains, randonneurs pédestres et cyclotouristes
– incitation à réduire l'usage de l'automobile en ville

5

a) Vous faites le tri sélectif de vos ordures ménagères. Classez les déchets suivants en déchets recyclables ou non recyclables, puis mettez-les dans les poubelles adaptées.

journaux, ~~bouteilles en verre~~, tonte de gazon, ~~brochures~~, mouchoirs en papier, ~~pots de yaourt~~, boîtes de conserve, ampoules électriques, épluchures de légumes, ~~branches~~, couches-culottes, ~~bouteilles en plastique~~, magazines, sacs de supermarché, bombes déodorantes, objets en porcelaine, canettes de soda, miroirs et vitres cassés, feuilles mortes, flacons de shampoing, pots de confiture, annuaires téléphoniques, boîtes de céréales

 : **métal/plastique/carton**

bouteilles en plastique, ...

....

 : **verre**

bouteilles en verre, ...

....

 : **papier**

brochures, ...

....

: **déchets organiques**

branches, ...

....

 : **déchets non recyclables**

pots de yaourt, ...

....

b) Et dans votre pays, comment trie-t-on les déchets ?

Outils pour ...

PARLER DE L'AVENIR

1

GRAMMAIRE

Complétez le dialogue avec les différentes formes d'expression du futur (futur proche, simple et antérieur, conditionnel présent).

« Dis-donc, c'est vrai, tu .... (partir) en mission au Congo pour sauver les gorilles ?

– Oui, j'ai fait toutes les démarches auprès de WWF. Je .... (avoir) le visa la semaine prochaine et, très

probablement, je .... (rejoindre) l'équipe à Kinshasa pour un court stage en juin. Et après, c'est le départ pour

la forêt primaire !

– Tu .... (partir) pour longtemps ?

– J'ai un contrat d'un an. Ensuite, je .... (revenir) en France.

– Et tu peux prolonger ?

– Tu sais, quand .... (passer) douze mois là-bas, j'......................... (avoir) sûrement envie de faire une pause.

On m'a prévenu que ce .... (être) dur !

– Alors, bonne chance ! Est-ce qu'on .... (se voir) avant ton départ ?

– Difficile, je .... (être) très occupé ! »

2

GRAMMAIRE

Sur une feuille séparée, construisez des phrases à partir des éléments donnés.

Exemple : utilisation de la voiture / commercialisation d'une voiture propre abordable
> ➜ *J'utiliserai la voiture quand les fabricants auront commercialisé une voiture propre à un prix abordable.*

1. planète en meilleur état / questions concernant l'environnement prioritaires pour les gouvernements

2. économies d'énergie à grande échelle / décision de chacun de faire des petits gestes au quotidien

3. équipement des habitations des particuliers utilisant des énergies renouvelables / meilleurs tarifs et plus d'informations concernant leur utilisation

4. diminution du nombre d'emballages / décision des gens de cuisiner davantage

3

COMMUNICATION

Lisez ces phrases et dites ce qu'elles expriment : souhait, parole rapportée, reproche, regret, situation imaginaire ou information non confirmée.

1. Tu pourrais quand même faire un effort pour trier tes ordures !

2. Je voudrais que tout le monde prenne conscience du danger et de la nécessité de faire quelque chose pour sauver la planète.

3. On aurait dû réduire notre consommation d'énergie fossile* et développer les énergies renouvelables depuis longtemps.

4. Des miroirs envoyés en orbite pour dévier une partie du rayonnement solaire permettraient de contrer le réchauffement climatique.

5. Selon le ministère de l'Écologie, la pollution de l'air dans les grandes villes françaises aurait diminué de 10 à 20 % en 6 ans.

6. Dans ma ville idéale, on circulerait à vélo ou en transports en commun non polluants, il y aurait beaucoup d'arbres et d'espaces verts, et on respirerait un air sain.

7. J'ai lu quelque part que la température de la Terre augmenterait de 5,8 °C d'ici à 2100.

---

* fossile : qui est extrait de la terre (charbon naturel, pétrole).

4

Complétez les phrases suivantes en conjuguant les verbes entre parenthèses au conditionnel présent ou passé.

1. Si les automobilistes pratiquaient le covoiturage, il y (avoir) .... moins de problèmes de pollution.
2. Les pouvoirs publics (devoir) .... mettre depuis longtemps la protection de la nature au centre de leurs préoccupations.
3. Je suis parti sans faire attention, je (devoir) .... éteindre la lumière du salon.
4. On (pouvoir) .... sanctionner les entreprises qui ne se soucient pas de la protection de l'environnement.
5. Si l'on en croit les informations données à la radio, il y (avoir) .... un risque à consommer des poissons pêchés dans certaines rivières.

FAIRE DES HYPOTHÈSES

5

Reconstituez les déclarations d'internautes en associant un début à une fin de phrase.

1. Si j'en avais les moyens...
2. Si les transports en commun avaient été plus développés dans ma région...
3. Si je savais comment les choisir...
4. Si on avait été mieux informés au moment voulu...
5. Si la ville organisait le tri sélectif en distribuant des poubelles adaptées...

a. ... j'achèterais des produits de beauté fabriqués avec des substances naturelles.
b. ... je n'aurais pas acheté de voiture.
c. ... on aurait choisi des matériaux non polluants pour la construction de notre maison.
d. ... je n'achèterais que des produits bios.
e. ... ce serait plus facile d'appliquer ces petits gestes du quotidien.

6

Complétez ces phrases pour exprimer une hypothèse probable (sur le présent ou le futur) ou irréelle (sur le présent ou le passé).

1. Si les gens étaient plus responsables, ...
2. Si tous les pays riches limitaient leurs émissions de gaz à effet de serre, ...
3. Si on s'était mobilisé il y a 10 ans, ...
4. Si on ne chassait plus les éléphants et les gorilles, ...
5. ...., on pourra réduire la fréquence des sécheresses et des inondations.
6. ...., on aurait fait davantage attention à notre consommation d'énergie.
7. ...., je contribue au développement des pays pauvres sans enrichir les intermédiaires.
8. ...., la mer ne serait plus une poubelle.

7

Commentez ces photos en formulant des hypothèses.

1

2

3

7

Points de vue sur... **Points**
Points de vue sur...
Points de vue sur...

1

COMPRENDRE

a) Lisez cet article et répondez aux questions.

Un festival qui dépasse la science

Dresser de terribles constats tout en partageant des expériences concrètes et positives pour sauver la planète, c'était l'enjeu de la 22e édition du festival *Science Frontières*, qui s'est tenu ce week-end au palais du Pharo à Marseille.

Cette année, prime à l'action. Des initiatives concrètes et abouties ont facilité le passage de la réflexion à la « réfl'action ». Comme l'entreprise Domespace qui vend des « maisons-bulles », en kit et en bois, capables de tourner avec le soleil et respectueuses de l'environnement. Comme l'association marseillaise « Roule ma frite » qui récupère les huiles végétales usagées pour faire le plein. Ou encore l'entreprise Deutz Fahr qui va révolutionner l'agriculture avec son tracteur guidé par GPS, permettant de fournir à la plante la bonne dose d'eau et de nutriments au bon endroit. Enfin, la compagnie Bleuzen présente des meubles en carton issus du recyclage, au design séduisant et très actuel.

D'après *Libération*, février 2006

1. Présentez l'objectif du festival *Science Frontières*.

2. Donnez deux exemples d'innovations scientifiques pour préserver l'environnement.

S'EXPRIMER

b) Quelle innovation trouvez-vous la plus intéressante ? Connaissez-vous d'autres initiatives pour sauver la planète ?

2

S'EXPRIMER

Que pensez-vous de ces prédictions ? D'après vous, est-ce probable, peu probable, possible, impossible ? Justifiez votre réponse.

Exemple : En 2100, le trou dans la couche d'ozone aura diminué :
➜ *c'est probable, parce qu'on n'utilisera plus de gazs interdits.*

En 2100, la calotte glaciaire du pôle Nord aura fondu...
... il n'y aura plus de grands mammifères...
... des régions et des pays entiers auront disparu sous les eaux...
... on mettra des masques à gaz pour sortir...
... on n'utilisera plus que des voitures électriques...
... rien n'aura changé par rapport à maintenant...

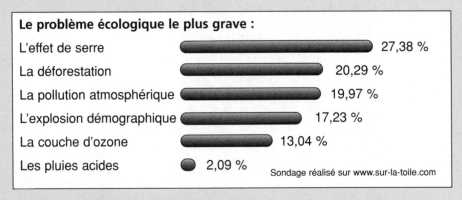

3

S'EXPRIMER

Lisez ce document et répondez aux questions.

Le problème écologique le plus grave :	
L'effet de serre	27,38 %
La déforestation	20,29 %
La pollution atmosphérique	19,97 %
L'explosion démographique	17,23 %
La couche d'ozone	13,04 %
Les pluies acides	2,09 %

Sondage réalisé sur www.sur-la-toile.com

1. Êtes-vous d'accord avec ce classement ? Donnez votre opinion sur ces problèmes.

2. D'après vous, y a-t-il d'autres problèmes qui devraient figurer dans ce classement ? Si oui, lesquels ?

4

a) Lisez le texte et répondez aux questions.

L'écologie touche chacun de nous, chacun de nos gestes et nous le savons.
Suivons un citoyen lambda* dans une journée lambda de la semaine lambda...

> – Je me lève le matin, je prends ma douche et fais couler des dizaines de litres d'eau, c'est pas correct !
> – Quand je fais la vaisselle, je laisse couler l'eau pendant des heures.
> – Quand j'attends un copain et que je suis dans la voiture, je laisse le moteur tourner.
> – J'achète des fraises en plein hiver.
> – Je mange mes yaourts à la fraise achetés au supermarché du coin, qui auront coûté sûrement un max en pétrole (fabrication, emballage, transport...) et j'ai bien sûr oublié mon panier à provisions !
> – Je pars au boulot dans ma voiture comme tous les matins de la semaine, depuis des années, pour me payer des heures d'embouteillage, c'est pas correct !!!
> – Je lis tous les journaux du matin et comme tout le monde, je les balance à la poubelle.
> – L'été, il fait vraiment chaud alors je mets la climatisation à fond.
> – Je mélange tous les déchets.
> – Je fais une machine à laver pour trois chaussettes et deux caleçons.
> – Au bureau, je remplis la corbeille à papier de papiers inutiles.
> – Je déjeune à midi au sous-sol, en utilisant mes couverts et assiettes en plastique, je finis avec un café ou un thé (ni équitable ni bio) toujours dans une tasse en plastique.
> – Je rentre en me repayant les mêmes bouchons qu'à l'aller !
> – Je passe au supermarché acheter mes produits habituels issus de l'industrie alimentaire, pas top non plus.
> – Je rentre enfin, dans une maison bien chaude car je ne baisse pas le thermostat de la journée, ce qui est, oui, je sais, pas correct !
> – Je m'étends devant ma télé où il passe autant de pubs que d'émissions sans intérêt...
> – Allez, au lit ! Même le matelas est fait en fibres synthétiques et donc forcément polluantes.

1. Que pensez-vous de ce comportement ?

2. L'homme a-t-il conscience de mal faire ? Pourquoi ?

3. Reprenez les mauvaises habitudes de cette personne et, pour chacune d'elles, dites comment il/elle pourrait mieux agir.

Exemple : « J'achète des fraises en plein hiver. » ➜ Il/Elle pourrait éviter d'acheter des fraises en hiver / Il/Elle devrait privilégier les fruits de saison.

....
....
....
....
....
....
....
....
....
....
....

b) Êtes-vous un bon ou un mauvais éco-citoyen ? Quels sont vos gestes quotidiens en faveur de l'environnement ?

* lambda : quelconque, ordinaire

5

a) Regardez avec attention les affiches réalisées par l'association CoLLecT-IF[1] et GHB[2] puis répondez aux questions.

1. Que voyez-vous sur ces affiches ? Décrivez-les.

....

....

2. Quel est le lien entre les deux affiches ?

....

....

3. D'après-vous, quel est le message de cette campagne d'affichage ? Quel est le sentiment véhiculé par chacune de ces affiches ?

....

....

4. Repérez le jeu de mot du slogan.

....

....

b) Existe-t-il des initiatives similaires dans votre pays ? Pensez-vous que cela puisse faire réagir les gens ?

....

....

1. CoLLecT-IF est à l'initiative en France continentale de la démarche de suppression des sacs plastiques de supermarché. Site internet : www.collect-if.org

2. GHB : Communauté d'agglomération du Pays d'Aubagne (13).

INTERDIRE

1

LEXIQUE

Formulez l'interdiction faite par chacun des panneaux suivants et dites où on pourrait trouver ces panneaux.

1.

3.

5.

5.

7.

7.

9.

1. ....
....
2. ....
....

3. ....
....
4. ....
....

5. ....
....
6. ....
....

7. ....
....
8. ....
....

9. ....
....
10. ....
....

2

Que dites-vous à ces personnes dans ces situations ?

1.

2.

3.

4.

SUBSTITUER AVEC LES PRONOMS *Y* ET *EN*

3

Dites comment vous ressentez les problèmes évoqués en utilisant *y* ou *en*.

Exemple : Les grandes villes sont de plus en plus polluées.
→ Je m'<u>en</u> rends compte tous les jours car j'ai de plus en plus de mal à respirer.

1. Les chercheurs affirment que dans 30 ans, nous ne pourrons plus consommer les poissons de nos rivières.

2. De nombreux touristes rapportent de voyage des animaux qui sont des espèces protégées.

3. Lorsque nous mangeons des fruits et légumes, même lavés, nous absorbons une quantité incroyable de pesticides.

4. C'est pour ne pas mettre à mal l'industrie automobile que les pouvoirs publics ne soutiennent qu'à moitié les recherches sur les énergies nouvelles.

4

Devinettes. Trouvez ce que remplacent *y* et *en*. Plusieurs solutions sont possibles.

*Exemple : On **en** parle en utilisant l'expression « développement durable » → on parle d'écologie.*

1. Si on ne s'**en** occupe pas, elles meurent : ....

2. On s'**y** intéresse au moment des élections : ....

3. Il faut **y** réfléchir longtemps avant de dire « oui » : ....

4. On **en** a besoin pour pouvoir supporter la canicule : ....

5. On **y** pense quand on écoute les prévisions des scientifiques : ....

6. Si on ne fait rien, les pays du Sud **en** manqueront de plus en plus : ....

La vie au quotidien

1
LEXIQUE

Complétez le témoignage suivant à l'aide des mots choisis dans la liste. Faites les modifications nécessaires.

déclarer le vol – coupable – porter plainte – être victime d'un vol – rapporter les faits – commissariat de police

« La semaine dernière, j'ai .... : ça s'est passé dans le métro et ce n'est qu'une fois arrivé

chez moi que je me suis rendu compte que mon portable avait disparu. Je suis allé au .... pour

.... et .... On m'a demandé de ....

mais ça m'étonnerait que l'on retrouve le .... et mon portable ! »

2
LEXIQUE

Lisez les définitions suivantes puis remplissez la grille de mots croisés.

Horizontalement

1. Personne soupçonnée d'un crime ou un délit.

2. Mesure qui permet à un officier de police judiciaire de retenir une personne dans le cadre d'une enquête.

3. Exposé oral fait par l'accusation qui dresse la liste des délits ou des crimes commis par un individu.

4. Personne qui dit ce qu'elle a vu, entendu ou perçu afin d'établir la vérité.

5. Lieu où l'on rend la justice.

Verticalement

a. Décision de justice énoncée par un tribunal.

b. Grave infraction punie par la loi et jugée devant la cour d'assises.

c. Personne dont la profession est de conseiller et de défendre ses clients en justice.

d. Déclaration par laquelle la cour rend son jugement.

e. Juridiction criminelle composée de magistrats et de jurés et chargée de juger des personnes accusées d'avoir commis un crime.

f. Établissement dans lequel sont détenues les personnes jugées et condamnées à des peines fermes qui les privent de liberté.

Lisez le texte et répondez aux questions.

Critiqué ces derniers mois, le métier de juge d'instruction reste souvent méconnu. Le quotidien *Metro* a recueilli le témoignage d'un de ces magistrats.

Mathieu est juge d'instruction dans un tribunal de grande instance de province. [...] Ce métier, il l'a choisi par conviction. « L'instruction est la procédure d'enquête la plus protectrice des personnes ; les avocats ont un accès total au dossier et peuvent intervenir en demandant de procéder à des actes d'enquête ; notre mission est d'instruire sans *a priori*[1]. L'objectif, c'est la manifestation de la vérité. » [...] Alors que l'existence même du juge d'instruction est discutée, Mathieu estime que sa fonction est une des garanties d'un véritable État de droit[2]. « Dans le modèle anglo-saxon, chaque partie, accusation et défense, tire la couverture de son côté[3]. Le juge n'est qu'un arbitre[4]. En France, dès le stade de l'enquête, il y a, entre les deux, le juge d'instruction, un élément indépendant qui ne coûte rien au citoyen. Nous sommes à la fois juges et directeurs d'enquête... Je suis convaincu que rechercher la vérité de la manière la plus impartiale possible est utile à la société. » [...]

Le métier est stressant, prenant, les responsabilités sont pesantes. Comment se comporter face à ceux qui sont mis en examen ? « Quels que soient les faits qui leur sont reprochés, aussi choquants qu'ils puissent être, je dois rester neutre. Il n'y a pas de monstres, mais des hommes. » [...] La mise en détention provisoire est aussi sévèrement dénoncée. « Mettre des innocents en détention est inacceptable, on est tous d'accord... Je dirais même qu'il vaut mieux un coupable en liberté qu'un innocent en prison. Le débat concerne plutôt la durée des détentions provisoires. Mais comment faire pour assurer une justice de qualité dans un temps plus limité ? Rappelons qu'il n'y a qu'un peu plus de 600 juges d'instruction en France. »

D'après *Metro*, 24/03/2006.

Vrai ou faux ? Justifiez votre réponse en citant le texte.

1. Au Royaume-Uni, le juge d'instruction joue un plus grand rôle qu'en France.

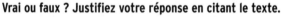

2. En France, le juge d'instruction travaille en collaboration avec les avocats des deux parties.

....

3. Il doit se montrer le plus objectif possible.

....

4. Les services d'un juge d'instruction sont payants.

....

5. Pour Mathieu, avant le procès, il est plus prudent d'emprisonner un suspect, même innocent.

....

6. Mathieu pense qu'il faut supprimer la détention provisoire.

....

7. Mathieu estime qu'il n'y a pas assez de juges d'instruction en France.

....

---

1. *a priori* : idée non fondée sur les faits.

2. État de droit : structure juridique qui règle la société sur le modèle du droit.

3. tirer la couverture de son côté : essayer de s'approprier la plus grosse part.

4. arbitre : personne désignée par les parties pour juger, décider.

4

Retrouvez les trois titres d'articles en associant les bouts de phrases.

faire confiance – des citoyens à la justice – Peut-on – était déjà – Manifestation

pour un meilleur accès – Le suspect – à la justice ? – en prison

– ....
– ....
– ....

5

Remettez dans l'ordre cette lettre de contestation.

.... **a.** Je conteste formellement cette contravention et j'ajouterai qu'en tant que citoyenne, je suis profondément choquée par ce procédé.

.... **b.** Veuillez agréer, Monsieur le Préfet de Police, mes salutations distinguées.

.... **c.** Je me permets de faire appel à vous afin de demander une révision de procès-verbal.

.... **d.** J'ai reçu un procès-verbal de 11 euros pour non-paiement d'une place de stationnement, alors qu'il était matériellement impossible de régler ces frais.

.... **e.** Je sollicite donc votre bienveillance pour prendre ma demande en considération et répondre favorablement à ma demande.

.1. **f.** Monsieur le Préfet de Police,

.... **g.** J'ai aussitôt signalé le dysfonctionnement de la machine à l'un de vos agents de surveillance, mais celui-ci n'a rien voulu entendre.

.... **h.** En effet, le 20 décembre, j'ai garé mon véhicule devant le numéro 7 de la rue Lecourbe (Paris 15e). L'horodateur étant en panne, je n'ai pu acheter de ticket de stationnement. Une heure plus tard, j'ai retrouvé une contravention sur le pare-brise de mon véhicule.

6

Vous venez d'acheter un abonnement de métro/train et vous n'avez pas encore eu le temps d'y coller votre photo. Un contrôleur vous signale que la photo est obligatoire et vous met une amende de 50 euros, à payer immédiatement. Rédigez une lettre adressée au directeur du service en question (RATP, SNCF) dans laquelle vous contestez cette mesure en expliquant votre cas.

EXPRIMER DES DOUTES ET DES CERTITUDES

1
GRAMMAIRE

Mettez les verbes entre parenthèses au mode qui convient (indicatif ou subjonctif).

1. On n'est pas sûr que la justice (faire) .... toujours bien son travail.

2. Je pense qu'il n'est pas acceptable que des erreurs judiciaires (se produire) .... dans un État de droit.

3. Je doute que la justice (être) .... toujours un pouvoir indépendant.

4. Beaucoup de jurés estiment qu'ils (ne pas avoir) .... la capacité de juger si la personne mise en examen est coupable ou innocente.

5. À la fin du procès, ce juré était intimement convaincu que le suspect (ne pas commettre) .... le meurtre.

6. Croyez-vous qu'il (falloir) .... punir sévèrement les très jeunes délinquants ?

7. Nous imaginons qu'il (y avoir) .... des solutions alternatives à la prison pour ces jeunes.

2
S'EXPRIMER

Donnez votre opinion à partir de ces titres de journaux. Utilisez des expressions de doute et de certitude.

1. Cantine gratuite dans des écoles de quartiers difficiles.

2. Controverse autour de l'ouverture dominicale* des magasins.

3. Suisse : les portables interdits à l'école à partir de 2007.

4. Un SDF dénonce son propre vol pour passer l'hiver au chaud.

5. Interrogatoire de témoins sur Internet grâce à une liaison en vidéoconférence.

* dominical : du dimanche.

UTILISER DES OUTILS DE SUBSTITUTION

3
LEXIQUE

Associez les expressions suivantes à leur signification.

1. Dis donc, tu te la coules douce !

2. (Ne) t'en fais pas !

3. Il se la joue un peu trop...

4. Allez, il faut s'y mettre.

5. On ne peut pas s'en passer.

a. Ne te fais pas de souci.

b. Il est devenu célèbre et il a pris la grosse tête.

c. Tu ne te fatigues pas beaucoup.

d. Impossible de se priver de cela.

e. Il est nécessaire de commencer ce travail.

4
GRAMMAIRE

Répondez en remplaçant les expressions soulignées par les pronoms correspondants.

1. Le meurtrier a remis l'arme du crime à l'enquêteur ? Oui, ...

2. L'accusé a avoué aux policiers qu'il était coupable ? Non, ...

3. Le suspect a donné un alibi valable au juge d'instruction ? Non, ...

4. Le témoin a pu fournir des preuves aux jurés ? Oui, ...

5. Vous ne passez pas les menottes à cette voleuse ? Non, ...

6. Dites-nous toute la vérité ! D'accord, ...

Outils pour...

5

Sur une feuille séparée, remettez ces phrases dans l'ordre, puis imaginez ce que les pronoms remplacent et réécrivez les phrases complètes.

Exemple : la / malfaiteur / Le / a / front. / sur / lui / posée / le
  ➜ *Le malfaiteur la lui a posée sur le front.*
  ➜ *Le malfaiteur a posé l'arme sur le front de sa victime.*

1. avocat / leur / démontré. / la / a / bien / L' / défense / le / de

2. conduite. / y / policiers / Les / ont / l'

3. lui / n' / dire. / L' / pas / a / voulu / accusé / le

4. Cour. / s' / de / témoin / en / Le / auprès / est / excusé / la

5. Les / ont / en / conclusions. / experts / lui / communiqué / les

6

Transformez ces phrases affirmatives en phrases impératives, en remplaçant les noms par des pronoms.

Exemple : Vous nous décrivez l'agresseur. ➜ *Décrivez-le nous !*

1. Vous emmenez ces malfaiteurs au commissariat. ➜ ....

2. Tu me montres les pièces à conviction. ➜ ....

3. Nous accordons l'amnistie au condamné. ➜ ....

4. Vous dites aux jurés qu'ils doivent rendre leur verdict. ➜ ....

5. Tu lui parles de cette affaire. ➜ ....

7

Complétez cet interrogatoire en utilisant les pronoms appropriés.

« Maintenant, je vais vous poser quelques questions.

– Je .... écoute.

– Aviez-vous parlé à la victime de vos problèmes d'argent ?

– Oui, je ....

– Vous avait-elle prêté de l'argent ?

– Non, elle ....

– Est-ce qu'elle s'est rendu compte tout de suite de la disparition des bijoux ?

– Oui, elle .... mais elle a d'abord soupçonné sa femme de chambre.

– Pourquoi la femme de chambre ?

– Parce qu'elle .... avait confiés. Et elle seule connaissait la combinaison du coffre.

– Et puis, elle a commencé à penser que c'était vous. Pourquoi ?

– Elle a appris que j'avais eu une liaison avec la femme de chambre.

– Et alors ?

– Alors, c'était facile d'imaginer que la combinaison, elle .... avait donnée.

– Et finalement, vous avez dit à la victime que c'était vous ?

– Non, je .... , mais elle .... savait. »

1

a) Lisez cet article et répondez aux questions.

Pour ou contre la prison pour les jeunes délinquants[1] ?

Pierre Méhaignerie, ministre de la Justice de 1993 à 1995
« De plus en plus de majeurs poussent des jeunes mineurs à des actes de délinquance graves qui vont de la violence vis-à-vis d'autrui à la vente de drogue. Dans ma ville de Vitré (Ille-et-Vilaine), des voitures sont régulièrement cassées. Cela se termine par un bras d'honneur[2] aux forces de police : « On n'a pas 18 ans, vous ne pouvez rien contre nous. » La population a le sentiment d'un État impuissant.

Cette situation ne peut plus durer. Mais la prison n'est pas la solution pour les mineurs délinquants. Elle doit être le dernier des derniers recours, une sorte d'épée de Damoclès[3]. À condition que ces mineurs ne soient pas mis avec des adultes. Autrement, c'est l'assurance de les voir devenir plus violents. Ils doivent, cependant, pouvoir être déplacés pour éviter qu'ils deviennent des caïds[4] dans leur quartier. Pour ces jeunes sans repères, il faut des structures, de

type un peu militaire, qui leur apprennent le travail et la discipline, comme les maisons familiales rurales qui accueillent quatre jeunes, pas plus, encadrés par des pédagogues, ou les internats[5]. Tout dépend des modalités d'éducation retenues. Ça pourrait aussi bien être l'armée. La Protection judiciaire de la jeunesse ne peut remplir seule ces missions, qui impliquent une sévérité absolue. »

D'après *Le Point*, n° 1558, Denis Demonpion, juillet 2002.

1. De quels problèmes parle-t-on dans cet article ?

....

....

2. Cet ancien ministre de la Justice est-il plutôt favorable ou défavorable à la prison pour ces jeunes ?

....

3. Quelles sont les alternatives proposées ?

....

....

4. D'après vous, quel rôle les pédagogues peuvent-ils jouer ?

....

....

b) Comment ces problèmes sont-ils gérés dans votre pays ?

....

....

....

....

....

....

....

---

1. délinquants : personnes qui commettent des délits répétés.

2. bras d'honneur : geste insultant.

3. épée de Damoclès : danger qui peut s'abattre sur quelqu'un d'un moment à l'autre.

4. caïds : chefs d'une bande.

5. internat : établissement où les élèves sont logés et nourris.

D8

Points de vue sur…
Points de vue sur
Points de vue sur…
Point
Points de vue sur

2

Trouvez les mots illustrés.

Rébus

1. ....

2. ....

3. ....
   ....

4. ....
   ....

5. ....
   ....

6. ....
   ....

3

Décrivez ces dessins. Que symbolisent-ils ? Êtes-vous d'accord avec
ces représentations ? Expliquez votre point de vue.

SITUER DES ÉVÉNEMENTS DANS UN RÉCIT

1

Remettez ce fait divers en ordre en prenant en compte les marqueurs temporels.

.... **a.** Le lendemain, il lui avait adressé un second courrier, puis un troisième.

.... **b.** Un mois plus tard, n'ayant toujours pas de réponse, il avait abandonné son emploi.

.... **c.** La jeune femme lui avait alors demandé de cesser cette correspondance compulsive et de reprendre le travail. Il avait répondu par une avalanche de poèmes, accompagnés de fleurs.

.... **d.** Le jeune homme avait rencontré sa consœur au Palais de Justice cinq mois auparavant.

.... **e.** L'ancien avocat risque trois ans d'emprisonnement.

.... **f.** À ce moment-là, il était tombé follement amoureux d'elle et lui avait écrit une déclaration passionnée. La jeune femme n'avait pas répondu.

1 **g.** Une jeune avocate a porté plainte pour harcèlement épistolaire de la part d'un de ses collègues. Elle a reçu 800 courriers enflammés en quelques mois.

.... **h.** Les jours suivants, il avait continué au rythme de 5 lettres par jour, sans obtenir aucune réponse.

.... **i.** Dans les mois qui avaient suivi, il s'était progressivement clochardisé et avait fini par vivre dans sa voiture.

D'après *Le Monde*, novembre 2006.

2

Lisez cette chronologie de l'affaire Seznec et entourez l'expression de temps appropriée.

http://www.france-justice.org   Google

Le 25 mai 1923, Guillaume Seznec et Pierre Quemeneur, deux industriels bretons, partent de Rennes en Cadillac pour Paris. Quemeneur a rendez-vous **demain/le lendemain/un jour après** avec un homme d'affaires américain, pour négocier un contrat de vente de Cadillac. Seznec est arrivé de Morlaix **la veille au soir/le soir d'avant/hier soir**, après un voyage éprouvant en voiture, pour y retrouver son ami et associé. Mais les deux hommes, suite à de multiples pannes, décident de se séparer en chemin : Quemeneur veut finir le voyage en train, et Seznec va rentrer à Morlaix pour y faire réparer la Cadillac. **Ce soir/Le soir/Ce soir-là**, Quemeneur se dirige en direction de la gare et disparaît à jamais : on ne le reverra plus, ni vivant, ni mort. Le 1er juillet, Seznec est arrêté et inculpé de l'assassinat de Quemeneur. **Cinq mois plus tard/Dans cinq mois/Après cinq mois**, il est condamné aux travaux forcés à perpétuité et, le 7 avril 1927, il quitte la France pour le bagne de Guyane. Il ne cesse de clamer son innocence. Seznec est gracié par le général de Gaulle en 1946 et **l'année après/l'année suivante/l'année prochaine**, il retourne en France où il est accueilli en héros. **Treize ans plus tôt/Il y a treize ans/Treize ans avant**, il avait pourtant refusé la grâce qu'on lui proposait : « il n'y a que les coupables qui demandent pardon ». Le 14 novembre 1953, Seznec est renversé par une camionnette qui prend la fuite. Il décède de ses blessures **dans trois mois/trois mois plus tard/après trois mois**. **Depuis ce temps/Depuis ce temps-là**, les membres de la famille Seznec n'ont jamais cessé de demander une révision du procès pour obtenir la réhabilitation de leur aïeul. Leur demande a toujours été rejetée par la justice française.

Outils *pour...*

3

Sur une feuille séparée, racontez l'affaire Dreyfus à partir des éléments suivants. Utilisez des marqueurs temporels.

Exemple : En octobre 1894, le capitaine Alfred Dreyfus, un officier juif alsacien, est arrêté. Le mois précédent, un document révélant des secrets militaires a été intercepté par le service du contre-espionnage français. Son écriture ressemble à celle du document.

– septembre 1894 :	Interception par le service du contre-espionnage français d'un document révélant des secrets militaires, adressé à une « puissance étrangère ».
– octobre 1894 :	Arrestation d'un officier stagiaire à l'état-major, le capitaine Alfred Dreyfus, juif alsacien germanophone, dont l'écriture ressemble à celle du courrier intercepté.
– décembre 1894 :	Procès à huis clos* : condamnation de Dreyfus à la déportation à vie sur l'île du Diable (Guyane), par les juges du Conseil de guerre.
– automne 1897 :	Publication du nom du vrai traître : Esterhazy. Demande de révision du procès par le vice-président du Sénat.
– 10-11 janvier 1898 :	Acquittement d'Esterhazy devant le Conseil de guerre.
– 13 janvier 1898 :	Parution du « **J'accuse...** » d'Émile Zola, lettre publiée dans le journal *L'Aurore*. L'écrivain accuse d'antisémitisme tout l'état-major, le ministre de la Guerre, les juges militaires, les experts en écriture.
– 7 février 1898 :	Ouverture du procès en diffamation de Zola.
– 9 septembre 1899 :	Révision du procès de Dreyfus à Rennes : nouvelle condamnation, mais avec des « circonstances atténuantes ».
– 19 septembre 1899 :	Grâce accordée par le président Loubet.
– 1906 :	Réhabilitation du capitaine Dreyfus.

* huis clos : sans que le public soit admis.

FAIRE UNE DÉMONSTRATION

4

Complétez ce texte avec les expressions de la liste pour structurer votre récit.

d'autre part – alors – tout d'abord – finalement – donc – et puis

L'enquête était finie car tout semblait accuser Mme Kougloff : .... cette bosse au front,

.... il y avait aussi la mèche de cheveux. Cependant, nos deux jeunes détectives en herbe ont remarqué que

M. Gorgovski était absent et ont pris l'initiative d'aller espionner chez lui sans rien dire à personne. Ils ont ....

découvert que Gorgoski avait lui aussi un bandage au front. ...., en s'introduisant chez lui, ils ont trouvé une

boucle d'oreille identique à celle trouvée sur les lieux du crime. [...] Gorgovski a été interpellé plus tard par le commissaire et

...................................., a tout avoué. Il avait .... bel et bien assassiné le cuisinier du collège avec la

complicité de Julie Kougloff, sa maîtresse. Pour faire soupçonner sa femme, il avait placé une de ses boucles d'oreilles dans la

cuisine. Et pour couronner le tout, la nuit où il s'était fait une bosse, il était reparti chez sa maîtresse pour la taper, afin que tous

les soupçons pèsent sur elle.

D'après Le Cuistot frit : roman policier écrit par des élèves de 5e.

5

a) Lisez l'extrait suivant et dites à quel moment du roman policier il correspond : exposition des faits, milieu de l'intrigue ou dénouement ? Justifiez votre réponse.

Maigret parlait d'une voix un peu sourde. De temps en temps, il tournait machinalement les feuillets du dossier qu'il avait devant lui.

« Pour en revenir à l'après-midi où Nina a été étranglée, Marcel Vivien avait certes un alibi, mais il comportait des trous... un témoin prétend que cet après-midi-là, Marcel Vivien est entré au bistrot à côté de chez Nina, vers 3 heures et qu'il était très ému...

– Où est-ce que cela vous conduit ?

– À soupçonner Vivien d'avoir tué Nina. Il n'était muni d'aucune arme mais il était fou de douleur et de jalousie. Il espérait peut-être vous mettre le crime sur le dos...

– C'est un peu ce que vous avez fait. Je vous ai toujours dit que je ne l'avais pas tuée.

– Quand avez-vous appris qu'elle était morte ?

– Un quart d'heure plus tard. J'ai vu Vivien sortir très vite. J'ai eu envie de voir ce qu'il était venu faire. Je suis entré dans la maison, c'est alors que j'ai rencontré la concierge. La porte était entrouverte, ça m'a paru suspect. Deux minutes plus tard, j'ai découvert le corps...

– Pourquoi ne l'avez-vous pas accusé ?

– J'ai décidé à ce moment-là de le punir moi-même. »

Georges Simenon, *Maigret et l'homme tout seul* (1971).

b) Répondez aux questions.

1. Dites qui sont les personnages en présence et de qui ils parlent.

....

....

....

2. Retrouvez dans le texte les éléments de l'intrigue policière :

Le lieu du crime : ....

Des témoins : ....

La victime : ....

Le crime : ....

Le mobile : ....

Des suspects : ....

Le coupable : ....

L'arme : ....

6

On a volé dans le tiroir-caisse d'une grande bijouterie, et une quantité importante de bijoux a disparu. Choisissez un rôle : la victime (le propriétaire de la bijouterie), l'accusé (un employé du magasin, un client...), un témoin, l'avocat de l'accusation/de la défense, le juge, un juré...) et jouez la scène du procès au tribunal. À la fin, les jurés doivent rendre leur verdict et dire si l'accusé est coupable ou innocent.

La vie au quotidien

1 **LEXIQUE**

Complétez ces témoignages en choisissant les expressions qui conviennent dans la liste ci-dessous. Faites les transformations nécessaires.

se balader – rechercher des endroits insolites – aller à l'aventure – emporter un maximum d'affaires – préférer l'avion – se débrouiller – planifier l'itinéraire – voyager en voiture – communiquer avec les gens – le dépaysement – être curieux de tout – sortir des sentiers battus – organiser son voyage à l'avance – emporter le strict nécessaire – faire plusieurs haltes

Micro-trottoir : Comment voyagez-vous ?

Lucie, 52 ans

« Comme j'aime partir loin en un minimum de temps, je .... Je ne choisis pas la destination au hasard, en général je .... Quand je fais mes valises, j'ai beaucoup de mal à trier le superflu, ce qui fait que je .... Une fois sur place, c'est le farniente et la plage, de temps en temps je .... dans les environs pour visiter des lieux touristiques. Ce que je recherche avant tout, c'est .... L'important, c'est que je me sente loin, très loin de chez moi ! »

Audrey, 28 ans

« Moi, je voyage le plus souvent avec un petit groupe d'amis, en train ou en bus. On part avec notre sac à dos et on se déplace beaucoup à pied, donc je fais attention au poids des bagages, je .... On n'aime pas aller là où tout le monde va, en général on essaie de .... et on .... et peu connus. On est du style organisé, et quand on part en randonnée ou en croisière pour plusieurs jours, on .... En haute montagne, ou en pleine mer, on ne peut pas se permettre de .... ! »

Yves, 39 ans

« Avec les enfants, c'est plus simple de .... On part quand on est prêts, à l'heure qu'on veut, et tant pis si on emporte du superflu ! Sur le chemin, on prend notre temps, on .... pour faire une pause-café, passer voir un ami qui habite dans le coin ou encore pour visiter un village, un monument. Tout dépend de ce qu'on trouve sur la route. Moi, je .... ! On va le plus souvent à l'étranger, tout en restant en Europe. Comme je suis un grand bavard, j'essaie de .... Je ne suis pas très doué en langues mais je .... toujours plus ou moins dans la langue du pays ! »

2

Lisez la publicité suivante et classez les différentes informations selon les catégories proposées.

Mettez le cap sur Porquerolles et sa nature jalousement protégée !

Comme sur toutes les autres îles de la Méditerranée, la voiture y est interdite afin de préserver le fragile équilibre écologique de ce territoire minuscule. Nous vous conseillons de louer un VTT : plus de 60 km balisés cheminent entre maquis et cultures, à la découverte des falaises et des trois anciens forts militaires. Vous bénéficierez alors d'une vue imprenable sur l'ensemble de l'île.

Faites une halte dans l'une des criques pour déguster des oursins ou autres crustacés, préparés avec soin par les pêcheurs du coin qui sauront vous raconter des histoires inédites.

• Nourriture : ....

• Mode de transport : ....

• Paysages : ....

• Histoire : ....

• Population : ....

3

Lisez ces descriptions de paysages et dites à quels endroits elles correspondent.

a. la Tunisie **b.** l'Équateur **c.** le Vietnam **d.** les Seychelles **e.** la Corse

| .... | **1.** Splendide promontoire qui plonge dans des eaux cristallines, le cap révèle toute la singularité de l'île de Beauté : le mariage éblouissant de la Méditerranée et de la montagne. |

| .... | **2.** On passe des volcans andins avec leurs sommets gelés à la forêt tropicale humide, et sur la côte on regarde le soleil descendre sur les eaux chaudes du Pacifique. |

| .... | **3.** Dans les vallées verdoyantes et les plateaux du Nord, dans le vaste désert du Sud, ou sur l'île de Djerba « la douce », vous coulerez des jours heureux. |

| .... | **4.** Là, tout n'est que rizières noyées sous le soleil, haies de bambous et chapeaux coniques. |

| .... | **5.** Près de 50 % de l'archipel est protégé dans des réserves naturelles, ce qui permet d'observer à loisir des tortues, d'innombrables poissons colorés et des oiseaux qui ne craignent pas la présence de l'homme. |

4

Remettez cette conversation téléphonique dans l'ordre.

.... **a.** Oui, c'est bien ça.

.... **b.** Je vais vérifier. Pouvez-vous me donner votre numéro de dossier ?

.... **c.** Excusez-moi mais je crois que je me suis mal fait comprendre : je pars demain matin et je n'ai toujours pas reçu mes billets.

1 **d.** Agence Évasion bonjour !

.... **e.** Il n'y a aucun problème madame, votre réservation est bien enregistrée.

.... **f.** Je vois, vous êtes madame Texier ?

.... **g.** À votre service, madame. Je vous souhaite de faire un bon voyage.

.... **h.** Eh bien voilà, j'ai tout réglé en ligne mais je n'ai reçu aucune confirmation et surtout, aucun billet d'avion !

.... **i.** D'accord madame, pouvez-vous m'expliquer ce qui ne va pas ?

.... **j.** Ah ! D'accord, je comprends mieux ! Je vous remercie monsieur, vous êtes très aimable.

.... **k.** Ne vous inquiétez pas madame, il s'agit de billets électroniques, il vous suffira de vous présenter au comptoir d'enregistrement munie de votre passeport, c'est automatique.

.... **l.** Bonjour monsieur. Je vous appelle parce que j'ai réservé un vol sur le site de votre agence et il y a un problème.

.... **m.** Oui bien sûr, c'est le 0F647X.

5

Une personne a un empêchement de dernière minute et téléphone à l'agence de voyage pour modifier (ou annuler) le voyage qu'elle avait réservé. Choisissez votre rôle, préparez puis jouez la scène.

UTILISER DES INDÉFINIS

1

Dites le contraire des phrases suivantes en utilisant des indéfinis.

Exemple : Aucun de nos amis ne nous a recommandé cette destination.
➜ La plupart de nos amis nous ont recommandé cette destination.

1. La plupart des habitants sont très accueillants avec les touristes.

....

2. C'est incroyable, Louis n'aime pas voyager, il n'est encore allé nulle part !

....

3. Cette montagne est très dangereuse, seul un guide peut s'y aventurer.

....

4. Vous trouverez des offices du tourisme un peu partout dans la région.

....

2

Complétez ces publicités d'agences de voyage avec les indéfinis qui conviennent dans la liste ci-dessous.

partout – certains – on – rien – tous – personne – n'importe quelle – d'autres – plusieurs – la plupart – aucun – tout

1. Avec Primavacances, pour .... les séjours, ... délai de réservation !

2. Partez tranquille, ... s'occupe du reste !

3. Chez nous, ... formules possibles pour .... destination !

4. .... des grands voyageurs vous le diront : .... ne vaut un bon guide !

5. Location de voitures .... dans le monde, tarifs avantageux et .... compris !

6. .... voyagent en train, ... en avion, mais .... ne voyage sans passer par chez nous !

3

Comme dans l'exemple, répondez aux questions en utilisant des indéfinis.

Exemple : Vous avez eu du mal à trouver un vol à tarif réduit ?
➜ Non, je n'ai eu aucun problème en réservant sur Internet.

1. Vous comptez partir où pour les vacances ?

....

2. On vous a parlé des coutumes de ce pays ?

....

3. Vous connaissez la cuisine locale ?

....

4. Avez-vous des préférences pour le programme de demain ?

....

5. Vous avez déjà choisi un guide pour vous accompagner ?

....

UTILISER DES NÉGATIONS

4

Remettez les phrases dans l'ordre.

1. parfois / rien / bien / Cela / ne / faire. / du / fait / de

....

2. vous / le / Rien / regretter / ne / destination. / fera / choix / cette / de

....

3. beauté / être / ne / Personne / du / peut / indifférent / la / paysage. / à

....

4. proposée / nous / formule / l'agence / Aucune / ne / séduits. / par / a

....

5

a) Décrivez la publicité Folio puis dites quel en est le message.

b) Lisez le slogan et faites des phrases similaires à partir des expressions suivantes.

1. Rien ne me ....

comme ....

2. Personne ne me ....

comme ....

3. Aucun(e) .... ne me ....

comme ....

Rien ne vous embarque comme un Folio

folio
vous lirez loin

6

a) Vous aviez réservé une semaine de vacances sur Internet. L'agence de voyages vous a envoyé le programme mais pendant le séjour, rien ne s'est déroulé comme prévu. Sur une feuille séparée, écrivez à un ami pour lui raconter vos vacances. Utilisez des négations et des indéfinis.

Exemple : Salut ! Je viens de rentrer de vacances et je suis dégoûté(e) : les séjours tout compris, plus jamais ! J'avais réservé...

> ○ ○ ○
>
> **249 euros**
> **Hôtel Paradis 4 étoiles, 1 semaine en demi-pension**
> **Départs de toute la France du 26 juin au 14 juillet**
> Hôtel de luxe situé au cœur de la palmeraie, à 15 min du centre-ville.
> Chambre double climatisée avec terrasse, vue imprenable sur les montagnes.
> Courts de tennis, terrain de golf, piscines, spa avec salle de fitness, hammam,
> activités sportives et ludiques, spectacles, soirées dansantes et folkloriques.
> Visites guidées, circuits dans le désert.

b) Avez-vous vécu une expérience similaire ? Racontez.

1

a) Lisez cet article et répondez aux questions sur une feuille séparée.

Le tour du monde en 30 jours

Il y a bien des moyens de faire le tour du monde : prendre la route de la soie, voguer d'île en île, courir de désert en désert. Ou encore explorer les routes glacées du Nord ou celles qui longent les terres australes[1]. Le tout à pied, en voiture, en bateau ou en train. Le moyen le plus rapide reste tout de même l'avion, qui permet de faire un circuit complet en un mois.

Reste à choisir le sens de rotation autour de la Terre, vers l'est ou l'ouest, et à dessiner un itinéraire. […] Pour éviter les ennuis des décalages horaires, le voyageur choisit d'aller vers l'ouest. À l'Amérique du Nord, trop connue, il préfère cette fois l'Amérique latine. De Paris à Buenos Aires, après un stop à Madrid, 20 degrés ont été perdus et cinq heures gagnées. L'avion a d'abord survolé Montevideo avant de remonter le Rio de la Plata. La capitale de l'Argentine ne peut que combler l'amateur de balades urbaines. […]

Départ de Buenos Aires, cap à l'ouest toujours, direction le Chili. L'avion survole longtemps la pampa. […] Tout d'un coup se dresse la cordillère des Andes. […] Après, tout va très vite. Le pilote laisse sur la droite le point le plus élevé de la cordillère, vire et plonge sur Santiago du Chili. La capitale vit dans l'ombre de cette montagne majestueuse. Ici, c'est l'hiver, les touristes partent skier. […]

Laissant le Chili à son hiver, le voyageur part pour l'Australie. Treize heures et 10 000 kilomètres pour arriver à Auckland, en Nouvelle-Zélande, et encore trois heures pour atterrir à Sydney … le bout du monde. Ce voyage si long laisse réellement l'impression de tourner autour du globe, hypnotisé par l'immense étendue liquide. […] Après l'élégante Sydney, pourquoi ne pas faire un détour par Cairns, un paradis naturel avec forêt tropicale, plages immenses et balade en bateau sur la barrière de corail, une vie couleur turquoise peuplée de koalas et de crocodiles.

Pour rejoindre l'Asie et Hongkong, encore sept heures d'avion en effleurant d'une aile l'archipel des Philippines. Au musée d'Art moderne de l'ex-colonie britannique, le peintre Hon Chi Fun expose ses toiles qui déclinent à l'infini la notion de cercle sous l'inscription suivante : « *Le temps qu'on gagne ou perd n'est rien d'autre que la rotation longitudinale[2] de la Terre.* »

Dernière étape, le Japon. Atterrissage à Osaka, pour filer à Kyoto en train. Après la folie urbaine de Hongkong, la visite des villas impériales et de leurs jardins procure une impression fascinante de calme. La ville abrite 1600 temples, dont un dédié par l'architecte Hiroshi Hara au train rapide, le Shinkansen, une gare majestueuse qui célèbre le marbre et les escalators. Enfin, Tokyo, la dernière expérience urbaine du voyage. […] La ville doit se déguster à pied, quartier après quartier. […]

Après un dernier stop à Londres, retour à Paris après 44 000 km de périple autour du monde. Un voyage à contresens, un voyage déboussolant[3], qui déplace les fuseaux horaires et les saisons. Au retour, compter une semaine pour atterrir, le cumul des décalages horaires finissant par brouiller[4] la notion du temps.

D'après *Le Monde*, M. Lefebvre, novembre 2005.

1. Quelles sont les différentes manières de faire le tour du monde ?

2. Relevez les verbes relatifs au déplacement (ex. : voguer, explorer, etc.).

3. Retracez l'itinéraire de ce tour du monde. Pourquoi l'a-t-on fait d'est en ouest ?

4. Ce voyage est fait de contrastes : lesquels ?

5. Quels conseils donne-t-on pour le retour ? Quel est le sens de « atterrir » ici ?

b) Si vous faisiez un voyage autour du monde, comment voyageriez-vous ? Pour combien de temps ? Quel itinéraire adopteriez-vous ?

---

1. australes : proches du pôle Sud.
2. longitudinal : dans le sens de la longueur.
3. déboussolant : qui désoriente.
4. brouiller : rendre confus.

2

a) À partir des lettres données dans le désordre, formez des mots relatifs au voyage.

1. t / r / i / c / u / c / i ➜ ....

2. é / r / d / t / e / s ➜ ....

3. a / g / b / a / e / g ➜ ....

4. u / e / m / o / t / u / c ➜ ....

b) Trouvez les anagrammes des mots suivants. Les mots obtenus parlent aussi du voyage.

1. digue ➜ ....

2. riant ➜ ....

3. avoines ➜ ....

3

a) Regardez ces photos et donnez les avantages et les inconvénients de chaque façon de voyager. Que préférez-vous ?

1.   2.   3.

1. ....
....
....

2. ....
....
....

3. ....
....
....

b) Sur une feuille séparée, répondez à un mél vous invitant à un tour d'Europe en stop, acceptez ou faites d'autres propositions.

FAIRE DES RECOMMANDATIONS

1

GRAMMAIRE

Associez chaque début de phrase à une fin pour comprendre les recommandations données aux voyageurs. Plusieurs solutions sont parfois possibles.

1. Il est indispensable...

2. Assurez-vous...

3. Évitez...

4. Il est d'usage...

5. Il est recommandé...

a. ... d'accepter ce que l'on vous sert à manger : refuser passerait pour de l'impolitesse.

b. ... d'avoir toujours du liquide sur vous : c'est le moyen de paiement le plus répandu.

c. ... d'apprendre quelques mots du dialecte local pour tisser des liens avec les habitants.

d. ... d'éviter les rues sombres des vieux quartiers à la nuit tombée.

e. ... d'afficher un niveau social trop élevé, cela pourrait paraître indécent par rapport au niveau de vie de la population.

2

COMMUNICATION

Regardez ces dessins présentant des paysages particuliers ou des problèmes potentiels survenant en voyage. Faites des recommandations à des touristes qui n'ont pas l'habitude de voyager.

1.

2.

3.

4.

5.

6.

Outils pour...

3

Où et dans quelle(s) situation(s) pourriez-vous lire ou entendre les phrases suivantes ?

Exemple : Attention ! N'oubliez pas de vous déchausser en entrant.
➜ *à l'entrée d'une mosquée en Turquie, d'une maison au Japon...*

1. Assurez-vous de ne rien oublier en descendant. ➜ ....

2. Évitez de poser des questions sur l'âge ou le salaire. ➜ ....

3. Privilégiez l'autocar, le réseau est très dense et c'est plus rapide que le train. ➜ ....

4. Il est recommandé de ne pas s'aventurer seul le soir. ➜ ....

5. Il est d'usage de ne pas parler fort avec son interlocuteur. ➜ ....

FAIRE UNE NARRATION AU PASSÉ

4

Remplacez le passé composé par le passé simple et vice versa.

1. Il est né à Bruxelles en 1929, il est mort à Bobigny en 1978. ➜ ....

2. Il fut tour à tour chanteur, réalisateur, acteur et navigateur. ➜ ....

3. Il chercha à réaliser ses rêves et fit une traversée en voilier jusqu'aux îles Marquises. ➜ ....

4. Ils sont descendus en hâte et ont couru jusqu'à la gare. ➜ ....

5. Quand elle a vu se profiler un village à l'horizon, elle en a pleuré de joie. ➜ ....

6. Il y a eu des moments de doute et de découragement, mais ils sont allés jusqu'au bout. ➜ ....

5

Sur une feuille séparée, racontez la vie du célèbre navigateur James Cook à partir des éléments donnés.

Exemple : James Cook naquit en Angleterre en 1728 dans une famille modeste...

James Cook

1728 Naissance en Angleterre dans une famille modeste

1755 Embauche dans la Royal Navy

1759 Nomination à la tête d'un navire et participation au siège du Québec

1768 Voyage vers Tahiti puis vers la Nouvelle-Zélande

1770 Exploration de l'Australie

1771 Retour en Angleterre
Nombreux autres voyages dans les îles de l'Océanie en compagnie de scientifiques, d'astrologues et de botanistes

1776 Départ d'Hawaï vers le Nord pour chercher, en vain, un « passage arctique »

1779 Assassinat par un Hawaïen

6

Sur une feuille séparée, faites le récit du voyage autour du monde d'Isabelle, en retraçant son itinéraire grâce aux 6 cartes postales envoyées à ses amis. Utilisez le passé simple pour raconter ses aventures.

Exemple : Le voyage commença un matin d'avril, Isabelle...

1.

Taj-Mahal, Inde, 5 avril

Le 20 mai
Après la splendeur
d'Angkor au Cambodge,
la modernité de
HongKong.
J'ai rencontré des gens
très sympas et j'ai trouvé
un petit job dans
un resto français.

À la prochaine ! Isabelle

Fanny Hermant
21, rue des Lilas
75013 PARIS
FRANCE

2.

Kyoto, le 15 juillet
Coucou les amis !
Je me plais bien au Japon !
Je fais du baby-sitting et
je donne des cours
de français à des ados.
J'en profite pour apprendre
un peu de japonais.
Bisous, Isabelle

Estelle et Hakim Amira
15, rue Saint-André
59200 TOURCOING
FRANCE

3.

4.

Nouvelle-Calédonie, 15 août

5.

Machu Picchu, Pérou, 20 septembre

le 26 novembre
Bons baisers de Tombouctou.
Je travaille dans une ONG
humanitaire et je m'occupe
d'enfants maliens
orphelins... c'est dur
mais passionnant !
Je rentre dans un mois,
après le désert mauritanien.

Je vous embrasse. À bientôt !
Isabelle

Elsa et Mathias Penin
8, rue Arnaud Vidal
31000 TOULOUSE
FRANCE

6.

CORRIGÉS

DOSSIER 1

La vie au quotidien   p. 4-5

1. Dis-moi ce que tu **portes** – la **présentation** a une grande importance – une mauvaise **image** – le **look** – votre **apparence** – votre **tenue vestimentaire** – présentation **soignée** exigée – Un look **adapté** – votre **fonction** – on ne s'**habille** pas – les **codes vestimentaires** – restez **classique** – les tenues **excentriques** – trop **chic** – trop **négligé** – le **confort** – pas de **vêtements** qui vous gêneraient – vos **pieds**
2. 1. d – 2. b – 3. e – 4. h – 5. f – 6. g – 7. a – 8. c
3. Réponse libre.

Outils pour...   p. 6-8

▶ Caractériser des personnes et des comportements

1. a) **Adrien** : amabilité – disponibilité – réalisme – initiative – énergie – nervosité ;
Chloé : confiance – humour – loyauté – organisation – efficacité
b) Réponse libre.
2. a) Proposition de corrigé : 1. Ceux qui savent acheter des vêtements à une femme ; 2. Ceux qui aiment danser ; 3. Ceux qui montrent leurs sentiments en public.
b) Proposition de corrigé : 1. **La meilleure amie : celle qui** est toujours là, **celle qu'**on appelle quand ça ne va pas, **celle dont** on connaît les hauts et les bas, **celle avec qui** on voyage ; 2. **Le patron idéal : celui qui** nous laisse travailler comme on veut, **celui qu'**on ne voit jamais, **celui dont** on se souvient avec plaisir, **celui avec qui** on peut discuter franchement ; 3. **Les beaux-parents idéaux : ceux qui** nous aiment dès la première rencontre, **ceux que** l'on n'a pas peur de voir débarquer à l'improviste, **ceux dont** on aime les goûts, **ceux avec qui** on est content de partir en vacances.
3. Réponse libre.
4. 1. ce qui ; 2. ceux que – ceux dont ; 3. ce que – ce qui ; 4. ce dont ; 5. ceux qui

▶ Faire des éloges et des reproches

5. Proposition de corrigé : 1. Vous auriez pu apprendre le caniveau à votre chien ! ; 2. Félicitations ! Tu es le meilleur ! ; 3. J'ai une remarque à vous faire : il me semble que vous travailleriez plus efficacement si vous faisiez l'effort de ranger votre bureau ; 4. Tu es incapable de faire attention à ce qui t'entoure !/Tu pourrais faire attention !
6. Réponse libre.
7. Réponse libre.

Points de vue sur...   p. 9-10

1. a) L. Weil : – ; J-C. de Castelbajac : **+/–** ; F. Beigbeder : **+/–** ; François : – ; Aurélien : **+** ; Olivier : **+/–**
b) 1. Castelbajac/pour ; 2. François/contre ; 3. Beigbeder/Olivier/pour ; 4. Beigbeder/pour ;

5. Weil/contre ; 6. Beigbeder/pour ; 7. Aurélien/pour
2. Réponse libre.
3. Il s'est fait recoller les oreilles, il s'est fait poser des implants, il s'est fait enlever une verrue ; Elle s'est fait lifter, elle s'est fait refaire le nez, elle s'est fait couper les cheveux, elle s'est fait enlever un grain de beauté.

Outils pour...   p. 11-13

▶ Donner des conseils

1. Réponse libre.
2. 1. d – 2. f – 3. e – 4. b – 5. a – 6. c
3. Réponse libre.

▶ Exprimer des sentiments

4. Réponse libre.
5. 1. triste – 2. heureux/satisfait – 3. intéressé/curieux – 4. déçu/frustré – 5. furieux – 6. dégoûté – 7. curieux/choqué – 8. méfiant/jaloux – 9. étonné – 10. effrayé
6. 1. Je suis déçue de ne pas pouvoir aller chez mes amis ce week-end ; 2. Tu as dû être furieuse d'avoir raté ton train ; 3. Ses parents sont fiers qu'elle ait obtenu de bons résultats scolaires ; 4. Il est bien content qu'on lui ait proposé une promotion dans son travail ; 5. Nous sommes ravis que vous alliez passer une semaine au soleil.
7. 1. Je suis inquiet(e)/ça me surprend que mes parents ne m'aient pas appelé(e) depuis leur départ en vacances ; 2. Je suis déçu(e)/triste que ma fille n'ait pas été admise au concours ; 3. Je suis ému(e)/content(e) que tu attendes un bébé ; 4. Je regrette que mes amis ne puissent pas partir avec moi ; 5. Je suis furieux(se) que tu partes sans moi en mission aux Seychelles/J'aimerais que tu m'emmènes avec toi en mission aux Seychelles ! ; 6. Je ne supporte pas que ma belle-mère s'invite chez nous !
8. Je suis <u>inquiète</u> **qu'elle fasse** comme ses copines et **qu'elle ne se rende pas compte** du danger de ces pratiques... Je suis également <u>furieuse</u> **qu'elle ait déjà pris** rendez-vous chez un tatoueur sans me consulter. Je regrette **de ne plus avoir** aucune influence sur elle. Quant à son père, il est exaspéré **qu'elle ne nous obéisse plus et qu'elle n'en fasse** qu'à sa tête ! Nous avons <u>peur</u> **qu'elle ne soit pas** assez mûre pour tenter ce genre d'expérience et **qu'elle tombe** entre de mauvaises mains.
9. Proposition de corrigé : 1. Elle est triste de s'être disputée avec son copain, elle regrette de l'avoir quitté. Il y a un couple d'amoureux à côté d'elle et elle est jalouse de les voir s'enlacer/(le couple) ils sont contents d'être tous les deux, il est soulagé d'avoir retrouvé sa copine après son année d'étude à l'étranger ; 2. Elle est furieuse que son mari ne soit pas encore rentré du travail, elle est exaspérée de le voir rentrer tard tous les soirs/elle est contrariée de voir le chien des voisins se promener sans laisse ; 3. Il est choqué d'ap-

prendre que sa femme l'a quitté en emportant tous ses meubles avec elle / il est surpris de découvrir qu'il a gagné un million d'euros au loto.

DOSSIER 2

La vie au quotidien   p. 14-16

1. 1. Tu **as fait des folies** – on **est dans le rouge/à découvert/on a des fins de mois difficiles/on a du mal à joindre les deux bouts** ; 2. Elle **claque de l'argent** au casino – elle se plaint d'être à découvert/dans le rouge/ d'avoir des fins de mois difficiles/d'avoir du mal à joindre les deux bouts ! ; 3. mon compte est **à découvert/dans le rouge**, il va falloir que je **me serre la ceinture** ; 4. lui est un véritable **panier percé** et a tendance à **jeter son argent par les fenêtres** – elle est prête à **se serrer la ceinture** ; 5. ils **achètent les yeux fermés**.
2. 1. h – 2. g – 3. f – 4. i – 5. c – 6. b – 7. d – 8. a – 9. e – 10. j
3. Proposition de corrigé : 1. J'ai voyagé à bord d'un avion de votre compagnie le 3 mars dernier (vol AJ639 Toulouse-Paris Orly) ; 2. À l'ouverture du colis, j'ai constaté que les chaussures n'étaient pas conformes à la description faite sur le site : les semelles sont en matière synthétique alors que vous annonciez qu'elles étaient en cuir ; 3. Je vous retourne ce jour le CD muet et souhaite être remboursée dans les meilleurs délais.
4. Réponse libre.

5.

	la super-woman	la bran-chée	la BCBG	la tradi-tionnelle
sa façon de dépenser	b	a	d	c
sa phrase-type	g	e	h	f
numéro du dessin	1	4	2	3

6. Réponse libre.

Outils pour...   p. 17-18

▶ Parler de sa consommation et comparer

1. 1. meilleur ; 2. plus de/de plus en plus de ; 3. plus ; 4. mieux/de mieux en mieux ; 5. plus d' ; 6. moins/de moins en moins.
2. Proposition de corrigé : 1. beaucoup moins – plus d' ; 2. de moins en moins de – vraiment plus – moins d' ; 3. un peu plus – nettement moins – mieux ; 4. de plus en plus – plus – mieux
3. Proposition de corrigé : 1. Les produits du marché sont parfois plus frais que ceux vendus en grande surface ; 2. Acheter par correspondance est moins stressant que de faire les boutiques ; 3. Les vêtements d'occasion sont

souvent moins à la mode que les vêtements neufs ; 4. Il est plus amusant de marchander que de payer le prix annoncé.

▶ **Caractériser**

4. 1. autour de laquelle ; 2. à laquelle ; 3. dans lesquelles ; 4. sur lequel

5. 1. C'est un catalogue de vente par correspondance **dans lequel** on trouve un grand choix d'articles pour enfants ; 2. C'est une émission de téléachat **devant laquelle** beaucoup de ménagères passent leur matinée/ c'est une émission de téléachat **pendant laquelle/ après laquelle** on peut passer commande au téléphone ; 3. Ce sont des réunions entre copines **grâce auxquelles** les filles peuvent renouveler leurs produits de beauté/ **pendant lesquelles** on peut échanger des articles et faire de bonnes affaires ; 4. C'est un site Internet **sur lequel** on peut échanger des articles et faire de bonnes affaires/**sur lequel** on trouve un grand choix d'articles pour enfants ; 5. C'est une grande braderie **pour laquelle** tous les habitants de la région se déplacent ; 6. Ce sont des marchés **sans lesquels** Noël ne serait plus Noël/**pour lesquels** tous les habitants de la région se déplacent ; 7. C'est un grand magasin **sans lequel** Noël ne serait plus Noël/c'est un grand magasin **à côté duquel/avec lequel** les autres commerces ne peuvent pas rivaliser.

6. Réponse libre.

Points de vue sur... p. 19-21

1. a) 1. vrai – 2. vrai – 3. faux – 4. faux – 5. vrai
b) Réponse libre.

2. 1. vente aux enchères ; 2. d'enchérir ; 3. mis à prix ; 4. adjugé ; 5. une fortune ! ; 6. une bonne affaire !

3. Réponse libre.

4. a) 1. f – 2. d – 3. a – 4. g – 5. c – 6. e – 7. b
b) Réponse libre.

Outils pour... p. 22-23

▶ **Négocier et discuter un prix**

1. 1. d – 2. b – 3. g – 4. e – 5. a – 6. c – 7. h – 8. f
2. Proposition de corrigé :
« Approchez, admirez la marchandise !
– Elles coûtent combien, ces boucles d'oreilles ?
– Elles sont à 50 euros.
– Ah, désolée, je ne peux pas mettre autant...
– Vous savez, c'est une affaire. C'est de la très bonne qualité, c'est un travail artisanal et chaque pièce est unique !
– Oui je m'en doute, elles sont très belles mais je n'ai pas vraiment les moyens en ce moment. Vous pouvez me faire une ristourne ?
– Bon, je peux faire un effort pour vous, combien vous m'en donnez ?
– Ah c'est gentil, je pourrais vous en donner 40 euros. Ça irait ?
– Bon d'accord, mais j'espère que vous vous rendez compte de la bonne affaire que vous faites !... »

▶ **Rapporter les paroles de quelqu'un**

3. « Allô maman ? Tu sais, pour ton problème avec le vendeur à domicile, je suis allé me renseigner auprès d'une association de défense des consommateurs. J'ai expliqué qu'un vendeur **avait essayé** de t'escroquer et que **tu avais signé** plusieurs papiers sans comprendre ce à quoi tu t'engageais. Le conseiller m'a dit **que** de nombreux démarcheurs à domicile **savaient** s'y prendre pour forcer la main des consommateurs, en particulier celle des personnes âgées, et que certains n'**hésitaient** pas à abuser de la faiblesse ou de l'ignorance d'une personne pour lui faire souscrire des engagements au comptant ou à crédit. Il m'a expliqué qu'il **faudrait/fallait** faire une réclamation en évoquant l'abus de faiblesse et prouver que tu souffres de problèmes physiques ou psychiques, qui t'ont empêchée de discerner les ruses du démarcheur pour te convaincre. Il m'a conseillé de **ne pas hésiter** à insister sur ton état de fatigue, que le vendeur ne **pouvait** pas ignorer. Il a ajouté que l'abus de faiblesse **pouvait** être puni de 9 000 euros d'amende et de 5 ans de prison. Et **méfie-toi** désormais des gens qui frappent à ta porte pour te proposer de bonnes affaires ! »

4. Proposition de corrigé :
« Michel Tampon de la société *Statipex* à l'appareil, bonsoir madame. Cela vous dérangerait-il de répondre à quelques questions ?
– Ça dépend du type de questions et du temps que ça prendra.
– Je peux vous assurer que ça ne sera pas long. Ça porte sur l'aménagement de votre nouvel appartement.
– Mais comment savez-vous qu'on vient de changer d'appartement ?
– Euh... Avez-vous fait faire des travaux d'isolation ?
– Oui.
– Bien. Maintenant, quelle marque de couches-culottes achetez-vous pour votre bébé ?
– Euh, je n'ai pas de préférence... pourquoi ?
– Et pour votre chat, quelle marque de croquettes préférez-vous ?
– La moins chère !
– Combien de boîtes de conserve consommez-vous par semaine ?
– 2 ou 3, mais ça dépend.
– Et combien de...
– Bip, bip, bip... (l'interlocutrice a raccroché)
– Allô ? Allô ? »

▶ **Mettre en garde**

5. Proposition de corrigé :
1. Faites attention, vous avez pris une assurance en cas de problème ? ; 2. Tu t'es bien renseigné sur l'état de la voiture ? Sois vigilant sur Internet ! ; 3. Tu es sûr(e) que tout est gratuit ? Ne te fais pas avoir ! ; 4. C'est si intéressant ? Ne fais pas trop confiance aux démarcheurs ! ; 5. Fais attention, tu vas te faire arnaquer !

6. Réponse libre.

DOSSIER 3

La vie au quotidien p. 24-25

1. b) un communicatif : • / un scolaire : * / un analytique : △ / un concret : □
c) Réponse libre.
2. l'institutrice : 2 – 7 – 11 – 5 / la gendarme : 4 – 1 – 9 – 12 / l'architecte : 6 – 10 – 3 – 8
3. Réponse libre.

Outils pour... p. 26-28

▶ **Parler du passé**

1. est né – a passé – n'aimait pas – était – Il a commencé – Il a ouvert – il aimait – il organisait – Il encourageait – il a introduit – il organisait – Il refusait – Il disait – ne devait plus – ont fait

2. il a fallu – n'était pas faite – il n'était pas fait – a décidé – a été – il s'est inscrit – c'était – correspondait – il avait envisagé – avaient déconseillé – voulait – n'en avait pas – a travaillé – est resté – est devenu

3. Proposition de corrigé : 1. Bruno est né en 1970 ; 2. Il a passé son enfance dans un petit village tranquille ; 3. En 1990, il a décidé de voyager ; 4. Il a choisi de s'installer à New York ; 5. C'est là qu'il a ouvert en 1995 un petit restaurant de cuisine française ; 6. Sa cuisine a connu un grand succès et c'est en 1997 qu'il a reçu le prix du meilleur cuisinier ; 7. Il faut dire qu'il tenait cette passion de sa grand-mère avec laquelle il avait appris les bases de la cuisine française lorsqu'il était enfant ; 8. Il avait aussi approfondi son apprentissage à l'âge de 18 ans dans une célèbre école de cuisine à Paris.

4. Proposition de corrigé : Arthur et Zoé se sont rencontrés dans un train. Ils se sont plu tout de suite, se sont parlé longuement. Puis ils se sont écrit de longues lettres, se sont envoyé des méls, se sont téléphoné très souvent. Un jour, ils se sont disputés et se sont séparés. Ils se sont perdus de vue pendant quelques années. Pendant ce temps-là, Arthur s'est lancé dans un tour du monde et Zoé s'est mise à réfléchir à un projet et s'est formée à l'agriculture bio. Ils se sont retrouvés par hasard dans un café et ils étaient tellement contents de se revoir qu'ils ne se sont plus quittés. Ils se sont mariés et se sont décidés à devenir parents.

5. Personne ne me l'a enseignée – Plusieurs personnes de mon entourage me l'ont transmise – Je l'ai découverte – Je l'avais rencontrée – je l'ai longtemps enviée – je l'ai tout de suite aimée – Je l'ai choisie parce que j'en ai toujours aimé la sonorité et le doigté – Je l'avais déjà pratiquée.

6. 1. est entrée – ne savait pas – voulait – a choisi – ont plu – est allée – a trouvé – avait pourtant dit – n'offrait ; 2. ont appris – avaient vu –étaient tombés amoureux ; 3. Je me suis trompé(e) – Je me suis inscrit(e) – je voulais

Points de vue sur...   p. 29-30

1. a) un roman – lu – une histoire – l'auteur – un style – écriture – Le livre
b) Réponse libre.
2. Réponse libre.
3. a) 1. L'objectif d'AFS est de favoriser l'apprentissage des relations interculturelles en facilitant les séjours des jeunes à l'étranger ; 2. Les personnes concernées par ces échanges sont les collégiens, les lycéens et les jeunes adultes ; 3. Les difficultés rencontrées par Nicole : le froid, la nuit polaire, la difficulté de la langue, le fait d'être loin des autres étudiants du programme AFS. / Celles rencontrées par Marc : l'intégration dans la famille d'accueil et le fait d'être confronté à de nombreuses expériences inhabituelles ; 4. Nicole a appris à se débrouiller dans différentes situations et elle a acquis le goût de la découverte. Marc s'est enrichi au contact des personnes rencontrées, il a mûri et a appris à mieux se connaître, à être plus sûr de lui.
b) Réponse libre.

Outils pour...   p. 31-33

▶ Concéder

1. 1. **Même si** instruire ses enfants chez soi est un droit, les parents qui font ce choix ont aussi des devoirs vis-à-vis de l'Éducation nationale et sont contrôlés par un inspecteur d'académie ; 2. Parmi ces parents, nombreux sont ceux issus du monde de l'éducation. **Pourtant/ cependant**, ce ne sont pas forcément les meilleurs pédagogues pour leurs enfants ; 3. **Bien que** l'école à la maison soit une alternative séduisante, ces enfants peuvent souffrir de solitude ; 4. L'école à domicile **a beau rencontrer** de plus en plus d'adeptes, cela reste un luxe car ce système suppose une grande disponibilité de la part des parents.
2. 1. On fait des études de plus en plus longues, **pourtant** on ne trouve pas de travail à la sortie de la fac ; 2. **Malgré** le faible coût d'inscription à l'université, il y a peu de mixité sociale ; 3. Il a appris à jouer d'un instrument, **même s'il** ne sait pas déchiffrer les partitions ; 4. **Il a beau** avoir un accent prononcé en langue étrangère, il se fait comprendre sans problème ; 5. Il n'a aucun diplôme, et il dirige **quand même** une grande entreprise.
3. 1. J'ai eu beau insister, il n'a voulu passer le concours ; 2. Il a vécu plus de 10 ans en Chine. Pourtant, il ne parle pas un mot de mandarin ; 3. Malgré ses bons résultats scolaires, elle n'a pas trouvé d'emploi dans sa filière ; 4. Elle a fini par accepter sa proposition, même si elle avait un autre projet professionnel ; 5. Bien que nous ayons les mêmes goûts, nous avons fait des études complètement différentes.

4. 1. **Nathalie, 50 ans :** Ma fille a des résultats catastrophiques en anglais ! Pourtant, elle adore cette matière et passe beaucoup de temps sur ses devoirs d'anglais. Elle prend même des cours particuliers, que faire ? ; 2. **Marion, 29 ans :** Je suis nulle en cuisine... Malgré les conseils de ma mère qui a essayé de m'apprendre à cuisiner dès mon plus jeune âge, je rate tout ! J'attends vos conseils avec impatience ! ; 3. **Gérard, 47 ans :** Mon fils de 20 ans a beau avoir envie d'autonomie, il refuse de passer le permis. Je suis donc obligé de le conduire un peu partout. Comment faire pour le convaincre ?

▶ Opposer

5. 1. contrairement – 2. révolutionnaire – 3. rébellion – 4. conflictuel ; a. revendication – b. protester – c. résistance – d. réclamer
6. Réponse libre.
7. Réponses possibles : Les livres de cuisine, de bricolage et les guides de voyage sont les livres les plus lus par l'ensemble des catégories sociales, **par contre**, les livres sur le sport sont beaucoup moins lus ; 35 % des livres lus par les ouvriers sont des livres de cuisine, de bricolage et des guides de voyage **alors qu'**ils ne lisent que 7 % de livres d'art ou de photographie ; – **Contrairement** à la plupart des agriculteurs, une grande majorité des cadres supérieurs sont des lecteurs réguliers.

DOSSIER 4

La vie au quotidien   p. 34-35

1. 1. d – 2. h – 3. c – 4. g – 5. a – 6. k – 7. l – 8. j – 9. b – 10. e – 11. i – 12. f
2. 1. abonné – parcours – jette un coup d'œil – gros titre – sélectif – rubriques ; 2. kiosque – de A à Z – éclectique ; 3. presse people ; 4. fais confiance
3. a) Les exploitants agricoles, les cadres et les retraités.
Réponse possible : Comme les exploitants agricoles vivent à la campagne, il leur est plus facile de recevoir les journaux et magazines chez eux que d'aller les acheter en ville. Les cadres lisent beaucoup, il est donc logique qu'ils soient plus abonnés que les autres. Enfin, les retraités ont beaucoup de temps libre et la lecture de la presse est sans doute l'un de leur passe-temps.
b) Réponse libre.
4. Proposition de corrigé : **Ça fait longtemps que je n'ai pas donné de nouvelles. Comment vas-tu ?** – Il faut dire que le matériel **est souvent vieux et désuet** – Comme d'habitude, les politiciens **en font des tonnes pour attirer les électeurs, et ils monopolisent les média avec leurs belles promesses... qu'ils ne tiendront pas !** – Et toi, que deviens-tu ? **Je compte sur toi pour me tenir au courant de ce qui se passe chez toi... On ne parle pas beaucoup de ton pays dans la presse ici.**
5. Réponse libre.

Outils pour...   p. 36-38

▶ Comprendre des titres de presse

1. 1. Tempête en Bretagne : hospitalisation en urgence de trois marins ; 2. Lancement d'une école de commerce à vocation mondiale à Moscou ; 3. Tournage d'un documentaire sur les femmes en Afghanistan ; 4. Engagement de Julia Roberts pour les biocarburants ; 5. Ouverture prochaine d'une annexe du Louvre à Lens (Nord-Pas-de-Calais).
2. 1. Des lycéens et des étudiants ont manifesté contre le projet de loi ; 2. On passe à l'heure d'hiver le week-end prochain ; 3. La Caisse d'épargne a été braquée par deux adolescents ; 4. Il sera interdit de fumer dans les lieux publics à partir du 1er février 2007 ; 5. La star est apparue au bras de son nouveau compagnon
3. 1. Première tempête d'automne : un navire échoué et des coupures d'électricité ; 2. Un conducteur verbalisé pour vitesse trop réduite ; 3. Feu vert pour la première greffe complète du visage ; 4. Consommation : après la folie des soldes, c'est l'accalmie.

▶ Relater un événement dans un article narratif

4. Réponses possibles : 1. Dix personnes ont été hospitalisées pour avoir mangé des champignons toxiques = *forme passive, accent sur la victime* ; 2. Le sud-est de la France a battu des records de chaleur = *forme active, accent sur le sujet* ; 3. À Marseille, un metteur en scène algérien a créé un théâtre franco-algérien. = *forme active, accent sur le sujet* ; 4. Une employée de maison a escroqué des retraités = *forme active, accent sur le sujet* / Des retraités ont été escroqués par leur employée de maison = *forme passive, accent sur la victime.*
5. avait été volée – endommagée – a été retrouvée – ne serait pas remontée – a été découverte – avait été volée – est remplacée – est dérobée – est tordue – (elle est) dérobée
6. je me suis fait agresser – je me suis fait mordre – je me suis fait insulter – je me suis fait bousculer / j'ai été bousculée – je me suis fait voler – j'ai été ignorée – avant de me faire rediriger / d'être redirigée – je n'ai pas été prise
7. Réponse libre.

Points de vue sur...   p. 39-41

1. a) journaliste – journal – présentateur – télévisé – professionnelle – téléspectateurs – chaînes – représentation – écrans
b) Réponse libre.

2. a) le pouvoir de la télévision ; la manipulation des téléspectateurs ; le statut du présentateur ; l'organisation du journal télévisé (JT) ; la fonction de la télévision ; la charge émotionnelle de l'image ; le poids des mots
b) Réponse libre.
3. a) Réponse possible : le document, par un effet visuel, laisse penser que les médias veulent hypnotiser/endormir les citoyens en leur faisant croire ce que bon leur semble.
b) Réponse libre.
4. a) 1. C'est un texte argumentatif ; 2. Ces journaux n'ont pas été édités pendant les fêtes car leurs directeurs ont estimé que cela n'était pas rentable. ; 3. L'auteur pense que leur priorité est la publicité ; 4. Il pense que ces parutions n'ont pas d'aspect positif : « ça c'est du journalisme ! » (phrase ironique) ; « ces journaux fabriqués avec des dépêches d'agence, des ciseaux et de la colle » (propos volontairement réducteurs) ; « cette info à consommer en dix minutes » ; « formatée par la publicité, pour la publicité, intégralement financée par la publicité », « qui n'est là que pour mettre en valeur la publicité. » ; 5. Ils pensent que les gratuits redonnent envie de lire aux jeunes ; 6. Le prix des reportages, des enquêtes, des équipes de journalistes et d'éditeurs ; 7. C'est la publicité qui finance les gratuits. Ce sont les lecteurs qui financent les autres journaux ; 8. L'auteur pense que si la presse dépend trop de la publicité, elle n'est plus libre, que les lecteurs doivent payer pour avoir un journal de qualité qui peut s'exprimer librement sans être dépendant des recettes publicitaires.
b) et **c)** Réponse libre.
5. Réponse libre.

Outils pour... p. 42-43

▶ Exprimer la cause et la conséquence

1. La **déclaration** du **Premier ministre** va **provoquer** la **colère** des **étudiants**.
2. 1. **À cause de** la grippe aviaire, les éleveurs ont enfermé leur volaille pendant un certain temps ; 2. En Angleterre, 4 femmes sur 5 craignent de conduire seules la nuit. **C'est pourquoi** une compagnie d'assurances a mis à leur disposition un passager gonflable ; 3. Nous n'avons pas de télé à la maison, **alors** nous suivons l'actualité à travers la presse écrite ; 4. **Suite à/Grâce à** l'énorme succès de son Ipod, *Apple* affiche des résultats records.
3. Réponses possibles : 1. **À cause de** sa passion pour les nains de jardin, il a tendance à énerver ses voisins ; 2. Un homme a fait une rencontre amoureuse **grâce à** son défaut de prononciation : il est tombé amoureux de son orthophoniste ; 3. **Comme** il a perdu son pari, il a dû acheter une caisse de champagne/**comme** il a gagné son pari, il a reçu une caisse de champagne ; 4. **Suite à** un banal accident de la route, des retrouvailles émouvantes ont eu lieu entre un homme et une femme qui s'étaient perdus de vue depuis plus de 10 ans.

4. Réponse libre.

▶ Évoquer un événement non confirmé

5. 1. Ce chanteur aurait fait plusieurs tentatives pour arrêter le tabac et l'alcool ; 2. Le maire risque 6 mois de prison et 22 000 euros d'amende pour ses propos racistes ; 3. Les longues silhouettes qui défilent sur les podiums n'auraient plus autant de succès : la mode serait désormais aux rondeurs ; 4. Une exposition mondiale de toilettes s'est ouverte à Bangkok ; 5. Le président se représenterait comme candidat aux prochaines élections.
6. 1. La reine d'Angleterre aurait la plus grande collection de timbres au monde ; 2. Jean-Paul II prêterait son nom à un héros de dessin animé ; 3. Un tableau volé il y a 41 ans aurait été retrouvé grâce au Web ; 4. Un homme se serait marié 201 fois en 48 ans ; 5. Des pompiers auraient été occupés pendant une semaine pour sauver un chien.
7. Réponse libre.

DOSSIER 5

La vie au quotidien p. 44-45

1. a) 1. La première AG ; 2. Planifier son action ; 3. Les slogans ; 4. Les tracts ; 5. Les affiches ; 6. Les autocollants ; 7. Une pétition ; 8. Les interventions en amphi
b) et **c)** Réponse libre.
2. bénévole – humanitaire – donner de moi-même – franchir le pas – je ne m'investis
3. 1. g – 2. c – 3. e – 4. a – 5. f – 6. d – 7. b.
4. Réponse libre.

Outils pour... p. 46-47

▶ Aider, encourager à l'action

1. 1. aide ; 2. main-forte ; 3. soutien-assistance ; 4. solidarité ; 5. soutien / l'appui ; 6. coup de main ; 7. soutien / appui
2. 1. Une mère à son fils/sa fille qui va passer la dernière épreuve d'un concours ou d'un examen important ; 2. Des sympathisants à un groupe de militants anti-OGM ; 3. Des supporters à un sportif en pleine compétition ; 4. Un jeune à son ami(e) au chômage, qui n'a reçu aucune réponse des entreprises qu'il/elle a contactées.
3. Réponses possibles : 1. Courage, ne perds pas confiance ! Je suis sûr que tu vas très vite retrouver un emploi ; 2. Tiens bon ! Ce sera bientôt fini./Tiens le coup, je suis certain que tu y arriveras ! ; 3. Garde le moral... un de perdu, dix de retrouvés ! ; 4. Il ne faut pas désespérer. Tu vas bien finir par trouver un appartement. Si tu veux, je vais te donner un coup de main dans tes recherches.

▶ Promouvoir une action de solidarité

4. 1. manière ; 2. cause ; 3. condition ; 4. temps/cause ; 5. manière
5. 1. en donnant ; 2. offrant ; 3. En devenant ; 4. En faisant ; 5. ayant

6. Sonia a préparé son voyage au Cambodge **en sollicitant** des entreprises et les Conseils Régionaux. Elle s'est offert le voyage **en claquant** ses économies et **en multipliant** les baby-sittings. Sur place, elle a aidé les enfants **en leur donnant** de l'attention et de l'affection, **en organisant** des jeux d'eau ou de ballon, des ateliers masques ou perles, des boums ou des olympiades sportives.

Points de vue sur... p. 48-50

1. 1. association – défendre – manifestations – dénonçons ; 2. J'ai été sensibilisé – pétition – organisation – j'y ai adhéré – informer
2. Arguments pour : Les grèves font partie de la tradition française. Elles débouchent le plus souvent sur des négociations/le conflit déclenche la négociation. Elles sont efficaces. C'est un mal nécessaire. Il faut parfois une action forte pour faire bouger les choses.
Arguments contre : Les fonctionnaires des transports publics abusent de ce droit et prennent les usagers en otages. Les grèves peuvent être violentes (agressions envers des collègues non grévistes, séquestration d'un chef d'équipe, etc.) et ne débouchent sur rien la plupart du temps. Ça sert juste à faire du bruit.
3. Réponse libre.
4. Réponse libre.
5. a) 1. Wassim ; 2. Cris ; 3. Laura ; 4. Morgane
b) Réponses possibles : 1. Ne pas vouloir voir les problèmes politiques, les nier ; 2. La France a, par tradition, la réputation de défendre la démocratie ; 3. De nombreuses personnes font appel aux services sociaux et ceux-ci ont énormément de dossiers à traiter ; 4. On peut sans doute parler de réussite de l'intégration quand on peut faire un bilan positif de l'installation de la personne étrangère dans son pays d'accueil ; 5. Les personnes dont les papiers ne sont plus valables sont mises dans une situation d'illégalité.
c) Réponse libre.

Outils pour... p. 51-53

▶ Exprimer des objectifs

1. 1. pour – atteint l'objectif ; 2. la mission ; 3. l'ambition – pour ; 4. vise à ; 5. la cible ; 6. sont parvenus à leurs fins
2. 1. Les publicitaires sont prêts à tout **pour** de l'argent ; 2. Il est parti au Vietnam avec cette ONG **dans le but de** proposer des animations auprès des enfants/**afin de** se rendre utile ; 3. Elle milite dans cette association **afin de** se rendre utile/**de manière à ce que** les droits de l'enfant soient pris en compte ; 4. Ils ont manifesté **pour** faire pression sur les pouvoirs publics/**pour que** les choses évoluent dans les banlieues ; 5. Un groupe de jeunes des cités a créé un collectif **pour que** les choses évoluent dans les banlieues ; 6. Elles se sont rendues dans des orphelinats **en vue de** proposer des animations auprès des enfants ;

7. À la rentrée, j'entame des études de médecine **afin de** soulager les autres ; 8. Elle a défendu les intérêts des agriculteurs **en vue des** prochaines élections.

3. a) a **pour vocation** ; 2. **L'objectif/la mission** de WWF ; 3. SOS Racisme **lutte pour que** – et **pour** ; 4. Amnesty International **cherche à/ milite pour** ; 5. Reporters Sans Frontières a **pour objectif** de ; 6. dont **le but est de**
b) Réponse libre.
4. Réponse libre.

► **Exprimer la durée**

5. 1. pour – pendant – depuis ; 2. pendant – pour – Depuis – pour ; 3. pendant – pour ; 4. pour – pendant ; 5. pour – pendant
6. depuis. – il y a – de 1988 à 1992 – en 1997 – pour/pendant un an – (pendant) un an de plus – pendant quatre ans – cela fait trois ans – en deux ans – qu'en sept ans – dans/pour deux ou trois ans

DOSSIER 6
La vie au quotidien   p. 54-55

1. a) représente – paysage – figurative – premier plan – surface – l'arrière-plan – distingue – contrastes – suggèrent – réalisme
b) Réponses possibles : l'air, la terre, l'eau.
2. 1. f – 2. k – 3. d – 4. c – 5. h – 6. e – 7. g – 8. j – 9. a – 10. i – 11. b
3. Réponse libre.
4. a) 1. Le théâtre itinérant est un théâtre qui bouge et va à la rencontre d'un public qui ne va pas au théâtre. Expressions synonymes : théâtre en plein air, théâtre nomade ; 2. Les représentations peuvent avoir lieu en plein air, sous chapiteau, en salles de fêtes, en théâtres mobiles, en roulottes, en camions ; 3. En France, et surtout à Paris, ce type de théâtre est peu représenté (il y a peu de représentations théâtrales en plein air et gratuites) alors qu'à l'étranger (Italie, Angleterre) et en province, les initiatives de ce genre sont nombreuses ; 4. Le théâtre itinérant joue un rôle social, il permet de faire connaître son art à un public populaire qui n'y a pas facilement accès, contrairement au théâtre « officiel » qui ne va pas chercher son public ; 5. Cette forme de théâtre peut donner aux artistes l'occasion de se poser des questions fondamentales à propos du théâtre : quel spectacle proposer, comment et dans quel espace scénique ?
b) Réponse libre.

Outils pour...   p. 56-57

► **Faire une interview**

1. 1. Combien de temps les sculptures sur glace resteront-elles en vie ?/De quoi dépend la durée de vie des sculptures sur glace ?/Quelle sera la taille du Père Noël de glace ? ; 2. Où Laurent Reynès a-t-il choisi d'installer son œuvre ?/ Quelle est la particularité de cette œuvre ?/ Selon Laurent Reynès, combien de temps son œuvre peut-elle dériver ?/Dans quelle direction se dirigera-t-elle ? ; 3. Combien de tonnes de glace/Quelle quantité de glace a-t-il fallu pour réaliser le Ice Kube Bar ?/Qu'est-ce qui est mis à disposition des clients à l'entrée du bar ?/Quelle est la température dans ce bar ?/Quel est le prix d'entrée ?/Combien de temps chaque client peut-il rester dans ce bar ?
2. 1. Que fais-tu ce week-end ?/Tu fais quoi ce week-end ? ; 2. Vous pensez vous rendre au concert comment ?/Comment est-ce que vous pensez vous rendre au concert ? ; 3. Où allez-vous pour retirer les places de concert ?/Où est-ce que vous allez pour retirer les places de concert ? ; 4. Vous avez déjà vu un spectacle de ce style ?/Est-ce que vous avez déjà vu un spectacle de ce style ? ; 5. Pourquoi as-tu arrêté les tournées ? Pourquoi tu as arrêté les tournées ? ; 6. Votre genre musical, qu'est-ce que c'est ?/Votre genre musical, c'est quoi ?
3. 1. Si l'homme descend du singe, pourquoi y a-t-il encore des singes ? ; 2. Pourquoi « abréviation » est-il un mot si long ? ; 3. Est-ce prudent de se faire faire une chirurgie plastique chez un médecin dont le bureau est décoré avec des toiles de Picasso ? ; 4. Si je dors et que je rêve que je dors, faut-il que je me réveille deux fois ? ; 5. Pourquoi les moutons ne rétrécissent-ils pas quand il pleut ? ; 6. Comment les panneaux « Défense de marcher sur la pelouse » arrivent-ils au milieu de la pelouse ?
4. Réponses possibles : 1. Comment vivez-vous la notoriété depuis Amélie Poulain ? ; 2. N'êtes-vous pas gênée d'être encore souvent assimilée au personnage d'Amélie Poulain ? ; 3. Avez-vous une méthode de travail ? ; 4. D'où vous est venue l'envie de faire ce métier ? ; 5. Comment faites-vous pour garder les pieds sur terre ?
5. Réponse libre.

Points de vue sur...   p. 58-61

1. 1. + / 2. – / 3. + : 4. – / 5. +
2. a) Réponse libre.
b) Cf. tableau ci-dessous.
3. Réponse libre.
4. a) 1. a. Clément a adoré le spectacle : « *Personnellement j'ai été enchanté par le spectacle. J'ai trouvé ça fabuleux...* »
2. a. Ses amis reprochent aux acteurs la distance prise avec les conventions artistiques : « *Les acteurs ne respectent pas les principes académiques du théâtre corporel.* »
3. b. Clément pense que ses amis ne devraient pas être si exigeants : « *N'y a-t-il pas accoutumance à être trop cultivé ?* »
4. b. Il se considère peu cultivé. « *Cultivé, je ne le suis pas tant que ça.* »
5. Faux. Il ne pense pas que la culture ne serve à rien mais qu'elle peut gâcher une partie du plaisir.
b) 1. Proposition de corrigé : cette merveilleuse capacité de pouvoir encore être étonné par des petites choses en apparence dérisoires, toutes simples/notre culture influence notre façon d'appréhender les choses, de les vivre.
2. Vrai et faux. Il comprend son point de vue mais en même temps il pense que la culture n'est pas préjudiciable au plaisir.
3. Selon Maxime, tout peut procurer du plaisir y compris la culture.
4. Non, pour lui, l'analyse technique est aussi un moyen d'avoir du plaisir.
5. La culture peut nous permettre d'apprécier des œuvres plus complexes qu'il faut comprendre pour aimer. **c)** Réponse libre.
5. Réponse libre.
6. Réponse libre.

	OUEST-FRANCE	FLUCTUAT
Mise en scène	c'est frais et léger et ça fait passer un bon moment de vrai divertissement	*oubliable* formule très standard
Scénario/histoire	inspiré d'une comédie américaine, mais sans faire un simple copier-coller	faible, sans surprise et tirée par les cheveux, déjà-vu, mièvre, manque d'audace et de fun, ennuyeux
Rythme	la cadence est savoureusement maintenue	manque de rythme
Dialogues/répliques	pétillent	ne sont pas réussis qualité d'écriture inégale
Jeu des acteurs :		jeu qui tombe à plat couple qui ne fonctionne pas
A. Chabat	humour, aisance et charme	pas mauvais
Ch. Gainsbourg	naturel et séduction	plutôt à l'aise
Autres		mère et sœurs : piquantes maris et gendres : excellents

Outils pour... p. 62-63

▶ Donner ses impressions

1. 1. c – 2. a – 3. d – 4. e – 5. b

2. 1. particulièrement ; 2. contrairement ; 3. complètement ; 4. excessivement ; 5. systématiquement ; 6. heureusement

3. Je vais **fréquemment** à l'opéra, j'aime **énormément** les spectacles de danse contemporaine et bien sûr les opéras, des plus classiques comme *Carmen* aux plus modernes. Comme je prends **régulièrement** une place au poulailler, c'est **relativement** bon marché. Bien sûr, je ne vois pas **parfaitement** la scène, les expressions des artistes sont **difficilement** visibles, mais je me laisse charmer par la musique et l'ambiance du lieu. Je ne regrette **pratiquement** jamais mon choix. Et je n'ai **absolument** pas besoin de lire des critiques avant d'aller au spectacle. Je me fie **entièrement** au bon goût de mes amis !

4. 1. Ce film effectue constamment des allers et retours entre la réalité et l'imaginaire ; 2. C'est un programme impeccablement interprété par les danseurs de l'Opéra de Paris ; 3. La réalité dépasse aisément la fiction ; 4. Un tableau est essentiellement une surface plane recouverte de couleur ; 5. C'est un régal de répliques piquantes et subtilement jouées.

5. Réponse libre.

6. 1. Je cherche un film qui **permette** vraiment de se divertir ; 2. On voudrait voir une pièce en français qui **soit** accessible à un public étranger ; 3. Je vous conseille de visiter ce musée qui n'**est** pas loin de chez vous, c'est le musée Marmottan ; 4. Tu ne connaîtrais pas un lieu où l'on **puisse** à la fois se détendre et se cultiver ? ; 5. Y a-t-il quelqu'un dans la salle qui **sait** bien dessiner ? ; 6. Je connais un bouquin que ton amie **va dévorer**.

7. 1. C'est l'histoire la plus émouvante que j'**aie** jamais **lue** ; 2. C'est le premier concert baroque qu'elle **ait** autant **apprécié**/qu'elle **apprécie** autant ; 3. Voici la seule toile qui n'**ait** pas **été copiée** ; 4. C'est le dernier compositeur de notre époque qui **puisse** se déclarer « moderniste » ; 5. C'est l'expo la plus nulle qu'on **ait vue** depuis longtemps ; 6. C'est une des histoires les moins intéressantes que nous **ayons entendues**.

8. Réponse libre.

DOSSIER 7

La vie au quotidien p. 64-66

1. **Natacha :** protection – nécessité – on détruit – gestes – gaspiller – trier – utiliser – réflexes – planète – choix – portée
Quentin : l'environnement – bios – nature – écolos – attention – cosmétiques – ça évite – plastiques

2. 1-b En Irlande, ainsi qu'en Afrique du Sud, Taiwan et en Corse. En France, 18 milliards de sacs sont distribués, soit 570 à la seconde ; 2-d Les bouteilles en plastique sont transformées pour fabriquer des vêtements en fibres polaires (une veste avec 25 bouteilles), du rembourrage d'oreillers, des couettes, des couches-culottes, des moquettes, etc. ; 3-c Depuis le 1er janvier 2006, le crédit d'impôt est porté jusqu'à 50 % de l'équipement ; 4-c ; 5-b Quasiment 1 kilo par jour. Contre 320 kg par an il y a 10 ans ; 6-c

3. Lieu de stage : **Équiterre, Montréal, Québec** ; Durée : **3 mois**
Compte-rendu de stage :
Pendant ce stage, *j'ai participé à la vie associative* d'Équiterre, un organisme écologiste basé à Montréal qui développe des projets permettant au citoyen de faire des gestes concrets pour l'environnement et la société.
J'**ai compris l'importance** des actions de sensibilisation auprès du grand public et j'**ai acquis une expérience** de terrain.
Par exemple, j'**ai animé des kiosques et des conférences** pour informer les gens sur le commerce équitable et les inciter à passer à l'action. De plus, j'**ai participé à l'organisation de semaines d'éducation et d'information,** comme la Quinzaine du commerce équitable et j'ai pu constater que ce type d'événements encourageait de plus en plus de consommateurs à acheter des produits équitables comme le sucre, le cacao, le café et le thé.
Je me suis également rendue dans des universités où j'**ai rencontré les comités étudiants militant pour le commerce équitable.**
Enfin, j'**ai mis à jour le répertoire des points de vente de produits équitables** et j'ai remarqué que les commerces concernés étaient beaucoup plus nombreux là-bas qu'en France. Le stage m'a donné l'occasion de **m'intégrer** dans une équipe sympathique et dynamique et j'**ai apprécié l'atmosphère** des réunions de travail, où la contribution de chacun a été valorisée.
J'ai trouvé cette expérience très profitable mais j'ai regretté que **la durée du stage n'ait pas pu être prolongée.** Je **suggère** d'envisager pour les futurs étudiants des stages d'au moins 6 mois, afin de leur permettre d'approfondir leurs connaissances et leurs recherches.

4. Réponse libre.

5. a) – métal/plastique/carton : *bouteilles en plastique*, boîtes de conserve, canettes de soda en aluminium, bombes déodorantes, flacons de shampoing, boîtes de céréales.
– verre : *bouteilles en verre*, pots de confiture.
– papier : *brochures*, journaux, magazines, mouchoirs en papier, annuaires téléphoniques.
– déchets organiques : *branches*, tonte de gazon, épluchures de légumes, feuilles mortes.
– déchets non recyclables : *pots de yaourt*, ampoules électriques, couches-culottes, sacs de supermarché, objets en porcelaine, miroirs et vitres cassés.
b) Réponse libre.

Outils pour... p. 67-68

▶ Parler de l'avenir

1. « Dis-donc, c'est vrai, tu **vas partir** en mission au Congo pour sauver les gorilles ?
– Oui, j'ai fait toutes les démarches auprès de WWF. **J'aurai** le visa la semaine prochaine et, très probablement, je **rejoindrai** l'équipe à Kinshasa pour un court stage en juin. Et après, c'est le départ pour la forêt primaire !
– Tu **vas partir** pour longtemps ?
– J'ai un contrat d'un an. Ensuite, je **reviendrai** en France.
– Et tu peux prolonger ?
– Tu sais, quand j'**aurai passé** douze mois là-bas, j'**aurai** sûrement envie de faire une pause. On m'a prévenu que ce **serait** dur !
– Alors, bonne chance ! Est-ce qu'on **va se voir** avant ton départ ?
– Difficile, je **vais être** très occupé ! »

2. Réponses possibles : 1. La planète sera peut-être en meilleur état le jour où les questions concernant l'environnement seront devenues prioritaires pour les gouvernements ; 2. Il y aura sans doute des économies d'énergie à grande échelle quand chacun aura pris la décision de faire des petits gestes au quotidien ; 3. Les particuliers utiliseront des énergies renouvelables pour équiper leurs habitations quand les tarifs auront baissé et qu'il y aura plus d'informations concernant leur utilisation ; 4. Le nombre d'emballages diminuera quand les gens auront décidé de cuisiner davantage.

3. 1. reproche ; 2. souhait ; 3. regret ; 4. information non confirmée/situation imaginaire ; 5. information non confirmée ; 6. situation imaginaire ; 7. parole rapportée

4. 1. Si les automobilistes pratiquaient le covoiturage, il y **aurait** moins de problèmes de pollution ; 2. Les pouvoirs publics **auraient dû** mettre depuis longtemps la protection de l'environnement au centre de leurs préoccupations ; 3. Je suis parti sans faire attention, j'**aurais dû** éteindre la lumière du salon ; 4. On **pourrait** sanctionner les entreprises qui ne se soucient pas de la protection de l'environnement ; 5. Si l'on en croit les informations données à la radio, il y **aurait** un risque à consommer des poissons pêchés dans certaines rivières.

▶ Faire des hypothèses

5. 1. d – 2. b – 3. a – 4. c – 5. e

6. Réponses possibles :
1. Si les gens étaient plus responsables, **il y aurait moins de problèmes écologiques dans le monde** ; 2. Si tous les pays riches limitaient leurs émissions de gaz à effet de serre, **le réchauffement climatique diminuerait** ; 3. Si on s'était mobilisé il y a 10 ans, **on n'en serait pas là aujourd'hui** ; 4. Si on ne chassait plus les éléphants et les gorilles, **ils ne seraient plus menacés d'extinction** ; 5. **Si on prend des mesures pour l'environnement**, on pourra

réduire la fréquence des sécheresses et des inondations. ; 6. **Si on avait su anticiper les problèmes**, on aurait fait davantage attention à notre consommation d'énergie ; 7. **Si j'achète des produits du commerce équitable**, je contribue au développement des pays pauvres sans enrichir les intermédiaires ; 8. **Si on taxait systématiquement les bateaux polluants**, la mer ne serait plus une poubelle.

7. Réponses possibles : 1. Si les gens ne jetaient pas leurs ordures n'importe où, les plages seraient plus belles ; 2. Si on ne faisait pas de manipulations génétiques, les fruits et légumes seraient moins beaux mais plus sains ; 3. S'il n'y avait pas ces usines, on respirerait mieux.

Points de vue sur... p. 69-71

1. a) 1. Réfléchir aux problèmes de l'environnement et présenter des initiatives concrètes et abouties pour sauver la planète ; 2. Les maisons-bulles capables de tourner avec le soleil, les meubles en carton recyclé.
b) Réponse libre.
2. Réponse libre.
3. 1. Réponse libre.
2. Réponses possibles : les marées noires, la chasse ou le trafic d'espèces protégées, etc.
4. a) 1. Réponse libre.
2. Oui car il/elle dit sans cesse : « c'est pas correct »
3. Réponses possibles : il/elle pourrait faire attention à sa consommation d'eau, il/elle pourrait couper le moteur quand il/elle ne roule pas, il/elle devrait toujours penser à apporter un sac pour ses achats, il/elle devrait utiliser les transports en commun ou faire du covoiturage, il/elle pourrait trier ses déchets, il/elle pourrait éviter la climatisation et aérer la pièce, il/elle pourrait attendre d'avoir plus de linge sale pour faire tourner une machine, il/elle devrait sortir pour déjeuner et/ou demander des couverts réutilisables, il/elle devrait acheter des produits frais, il/elle devrait baisser le thermostat quand la maison est vide.
b) Réponse libre.
5. a) 1. La première affiche est très pessimiste, elle représente un paysage désolé avec au premier plan un arbre mort auquel est accroché un sac plastique. La seconde affiche est beaucoup plus positive et montre un arbre resplendissant.
2. C'est le même arbre sur les deux affiches, la photo semble prise au même endroit : avec ou sans pollution. Les affiches représentent deux avenirs possibles, un négatif, un positif, selon les mesures prises individuellement et collectivement.
3. Cette campagne d'affichage dénonce l'utilisation des sacs plastiques et préconise celle du cabas qui est réutilisable et ne pollue pas. Le sac plastique sur la première affiche représente un « drapeau blanc » et illustre le slogan « capituler, c'est pas dans ma nature »,

« capituler » dans ce contexte signifie « abandonner » le combat pour l'environnement. La seconde affiche montre qu'en changeant nos habitudes et en respectant l'environnement, on peut espérer un avenir meilleur, d'où le slogan « Bien vivre ».
4. « C'est dans ma nature » : un parallèle est fait entre la Nature et la nature de l'homme.
b) Réponse libre.

Outils pour... p. 72-73

▶ Interdire

1. 1. Il est interdit de porter des chaussures à talons (dans un gymnase) ; 2. L'utilisation des téléphones portables est strictement interdite (dans un avion, un hôpital) ; 3. Circulation interdite (dans une rue piétonne) ; 4. Défense de fumer (dans une maternité) ; 5. Baignade interdite (près d'une rivière) ; 6. Il est interdit de prendre des photos (dans un musée, une boutique, sur un site historique fragile) ; 7. Interdit aux chiens (dans un parc pour jeunes enfants) ; 8. Il est formellement interdit de manger ou de boire (dans un magasin de luxe) ; 9. Ne pas donner à manger aux animaux (dans un zoo) ; 10. Interdit aux moins de seize ans (sur une affiche de film).
2. Réponses possibles :
1. La pêche est interdite à cet endroit, il y a de nombreuses espèces protégées dans cette rivière ! ; 2. Tu ne dois pas jeter ton papier par terre, tu vois bien qu'il y a une poubelle juste à côté ! ; 3. Il est défendu de taguer le mur de ce musée qui est classé monument historique ! ; 4. La cueillette des fleurs est interdite dans ce parc, c'est une réserve naturelle.

▶ Substituer avec les pronoms *Y* et *EN*

3. Réponses possibles :
1. Je m'en désole mais vu les dégâts causés sur la nature, il faut s'y attendre ! ; 2. Je n'en avais jamais entendu parler, c'est un scandale, il faudrait renforcer les contrôles ! ; 3. Je m'en doutais et c'est pour cela que j'épluche tous les fruits et légumes avant de les manger ; 4. Il fallait s'en douter, je me demande ce qui pourrait faire que les politiques s'y intéressent davantage et qu'ils s'en préoccupent réellement en prenant des mesures concrètes.
4. 1. des fleurs, des plantes ; 2. à la politique ; 3. au mariage ; 4. d'eau, de climatisation, de ventilateurs ; 5. à l'effet de serre, au réchauffement climatique ; 6. d'eau, de ressources naturelles

DOSSIER 8
La vie au quotidien p. 74-76

1. j'ai été victime d'un vol – commissariat de police – déclarer le vol – porter plainte – rapporter les faits – coupable

2. 1. accusé ; 2. garde-à-vue ; 3. réquisitoire ; 4. témoin ; 5. tribunal
a. jugement ; b. crime ; c. avocat ; d. verdict ; e. assises ; f. prison
3. 1. Faux : dans le modèle anglo-saxon, le juge n'est qu'un arbitre entre les deux parties, accusation et défense ; 2. Vrai : les avocats ont un accès total au dossier et peuvent intervenir en demandant de procéder à des enquêtes ; 3. Vrai : sa mission est d'instruire sans *a priori* ; 4. Faux : le juge d'instruction ne coûte rien au citoyen ; 5. Faux : il pense qu'il vaut mieux un coupable en liberté qu'un innocent en prison ; 6. Faux : il pense que c'est la durée des détentions provisoires qui pose problème ; 7. Vrai : il n'y a qu'un peu plus de 600 juges d'instruction en France.
4. Peut-on faire confiance à la justice ? ; Le suspect était déjà en prison ; Manifestation pour un meilleur accès des citoyens à la justice.
5. 1. f – 2. c – 3. d – 4. h – 5. g – 6. a – 7. e – 8. b
6. Réponse libre.

Outils pour... p. 77-78
▶ Exprimer des doutes et des certitudes

1. 1. On n'est pas sûr que la justice **fasse** toujours bien son travail ; 2. Je pense qu'il n'est pas acceptable que des erreurs judiciaires **se produisent** dans un État de droit ; 3. Je doute que la justice **soit** toujours un pouvoir indépendant ; 3. Beaucoup de jurés estiment qu'ils **n'ont** pas la capacité de juger si la personne mise en examen est coupable ou innocente ; 4. À la fin du procès, ce juré était intimement convaincu que le suspect **n'avait pas commis** le meurtre ; 5. Croyez-vous qu'il **faille** punir sévèrement les très jeunes délinquants ? ; 6. Nous imaginons qu'**il y a** des solutions alternatives à la prison pour ces jeunes.
2. Réponse libre.

▶ Utiliser des outils de substitution

3. 1. c – 2. a – 3. b – 4. e – 5. d
4. 1. Oui, il la lui a remise ; 2. Non, il ne le leur a pas avoué ; 3. Non, il ne lui en a pas donné ; 4. Oui, il a pu leur en fournir ; 5. Non, nous ne les lui passons pas ; 6. D'accord, je vais vous la dire.
5. 1. L'avocat de la défense le leur a bien démontré/L'avocat de la défense a bien démontré aux jurés que l'accusé était coupable ; 2. Les policiers l'y ont conduite/Les policiers ont conduit la voleuse au poste de police ; 3. L'accusé n'a pas voulu le lui dire/L'accusé n'a voulu dire le nom de son complice à l'inspecteur ; 4. Le témoin s'en est excusé auprès de la Cour/Le témoin s'est excusé de son trou de mémoire auprès de la Cour ; 5. Les experts lui en ont communiqué les conclusions/Les experts ont communiqué les conclusions des analyses au procureur.

6. 1. Emmenez-les y ! ; 2. Montre-les moi ! ; 3. Accordons-la lui ! ; 4. Dites-le leur ! ; 5. Parle-lui en !

7. « Maintenant, je vais vous poser quelques questions.

– Je **vous** écoute.

– Aviez-vous parlé à la victime de vos problèmes d'argent ?

– Oui, je **lui en** avais parlé.

– Vous avait-elle prêté de l'argent ?

– Non, elle ne **m'en** avait pas prêté.

– Est-ce qu'elle s'est rendu compte tout de suite de la disparition des bijoux ?

– Oui, elle **s'en** est rendu compte mais elle a d'abord soupçonné sa femme de chambre.

– Pourquoi la femme de chambre ?

– Parce qu'elle **les lui** avait confiés. Et elle seule connaissait la combinaison du coffre.

– Et puis, elle a commencé à penser que c'était vous. Pourquoi ?

– Elle a appris que j'avais eu une liaison avec la femme de chambre.

– Et alors ?

– Alors, c'était facile d'imaginer que la combinaison, elle **me l'**avait donnée.

– Et finalement, vous avez dit à la victime que c'était vous ?

– Non, je ne **le lui** ai pas dit, mais elle **le** savait. »

Points de vue sur...   p. 79-80

1. a) 1. Cet article parle du problème de la délinquance chez les jeunes : comment la justice doit-elle répondre face aux actes graves de violence chez les mineurs ?

2. P. Méhaignerie est plutôt favorable à la prison pour les jeunes délinquants s'il n'y a pas d'autres solutions et à condition qu'ils ne soient pas mélangés avec des adultes.

3. P. Méhaignerie propose d'autres alternatives à la prison : des structures de type un peu militaire comme les maisons familiales rurales, les internats, ou encore l'armée.

4. Les pédagogues peuvent intervenir dans les maisons familiales rurales pour encadrer les jeunes, pour les éduquer en leur proposant des activités et en leur faisant accepter la discipline.

b) Réponse libre.

2. 1. Huissier ; 2. Interpelle ; 3. Garde à vue ; 4. Témoin ; 5. Interrogatoire ; 6. Braquage.

3. Une femme les yeux bandés avec une épée : la justice aveugle (incorruptible, impartiale), la répression.

L'escargot qui traîne une balance : la lenteur de la justice, des procédures judiciaires.

Outils pour...   p. 81-83

▶ Situer des événements dans un récit

1. 1. g – 2. d – 3. f – 4. a – 5. h – 6. c – 7. b – 8. i – 9. e

2. le lendemain – la veille au soir – Ce soir-là – cinq mois plus tard – L'année suivante – treize ans plus tôt – 3 mois plus tard – Depuis ce temps-là

3. Réponse possible :

En octobre 1894, le capitaine Alfred Dreyfus, un officier juif alsacien, est arrêté. **Le mois précédent**, un document révélant des secrets militaires a été intercepté par le service du contre-espionnage français. Son écriture ressemble à celle du document. **Trois mois après** son arrestation, il est jugé à huis clos par les juges du Conseil de guerre : il est condamné à être déporté à vie sur l'île du Diable en Guyane. **Trois ans plus tard**, le nom du vrai traître, Esterhazy est publié et le vice-président du Sénat demande la révision du procès ; celle-ci aboutit à l'acquittement du traître **dans les mois suivants**. **Le lendemain**, Zola réagit et publie une lettre, « J'accuse », dans le journal l'Aurore ; lettre dans laquelle il dénonce l'antisémitisme de tous les responsables impliqués. **À peine quelques semaines plus tard**, Zola est jugé pour diffamation. Ses efforts n'auront pas été vains puisque **un an et demi plus tard**, en septembre 1899, Dreyfus est jugé à nouveau. Il est cette fois condamné mais avec des « circonstances atténuantes ». Il sera gracié **le même mois**, puis enfin réhabilité, en 1906.

▶ Faire une démonstration

4. tout d'abord – et puis – alors – D'autre part – finalement – donc

5. a) C'est le dénouement car on apprend qui est le coupable.

b) 1. Les personnages en présence sont le commissaire Maigret et un suspect, qui a découvert le corps de Nina en premier. Ils parlent du coupable, Marcel Vivien.

2. Le lieu du crime : la maison

Des témoins : la concierge et le client du bistrot.

La victime : Nina

Le crime : l'étranglement de Nina

Le mobile : la jalousie

Des suspects : Vivien et l'autre homme

Le coupable : Marcel Vivien

L'arme : aucune, à mains nues

6. Réponse libre.

DOSSIER 9

La vie au quotidien   p. 84-86

1. Lucie : je préfère l'avion – j'organise mon voyage à l'avance – j'emporte un maximum d'affaires – je me balade – le dépaysement

Audrey : j'emporte le strict nécessaire – sortir des sentiers battus – on recherche des endroits insolites – on planifie l'itinéraire – d'aller à l'aventure

Yves : voyager en voiture – on fait plusieurs haltes – je suis curieux de tout – communiquer avec les gens – je me débrouille

2. Nourriture : déguster des oursins ou autres crustacés ; **mode de transport :** la voiture y est interdite, louer un VTT ; **Paysages :** des falaises, nature jalousement protégée, îles de la Méditerranée, ce territoire minuscule, maquis et cultures, vue imprenable, des criques ; **Histoire :** trois anciens forts militaires ; **Population :** les pêcheurs du coin

3. 1. e – 2. b – 3. a – 4. c – 5. d

4. 1. d – 2. l – 3. i – 4. h – 5. b – 6. m – 7. f – 8. a – 9. e – 10. c – 11. k – 12. j – 13. g

5. Réponse libre.

Outils pour...   p. 87-88

▶ Utiliser des indéfinis

1. 1. Ici personne n'est accueillant avec les touristes ; 2. Louis voyage beaucoup, il est déjà allé un peu partout dans le monde ; 3. N'importe qui peut s'aventurer dans cette montagne, elle est vraiment sans danger ; 4. Pensez à emporter un guide car il n'y a aucun office du tourisme.

2. 1. tous – aucun ; 2. on ; 3. plusieurs – n'importe quelle ; 4. La plupart – rien ; 5. partout – tout ; 6. Certains – d'autres – personne

3. 1. N'importe où, du moment qu'il fait chaud ! ; 2. Oui, plusieurs personnes nous en ont parlé ; 3. Non, on n'en connaît rien, mais on compte bien la goûter dès notre arrivée ; 4. Aucune préférence, c'est vous qui choisissez ! ; 5. Non, mais n'importe lequel fera l'affaire, l'essentiel est qu'il connaisse bien la région.

▶ Utiliser des négations

4. 1. Cela fait parfois du bien de ne rien faire ; 2. Rien ne vous fera regretter le choix de cette destination ; 3. Personne ne peut être indifférent à la beauté du paysage ; 4. Aucune formule proposée par l'agence ne nous a séduits.

5. a) Description de l'affiche : On voit une femme qui « bouquine » dans un fauteuil, elle est assise en tailleur et semble décontractée. Autour d'elle, on voit des dessins évoquant les vacances, l'évasion, la plage : les vagues, la mer, un bateau, une tong. Cette publicité illustre l'opposition « être ici »/« être ailleurs », comme un don d'ubiquité qui permettrait d'être en plusieurs endroits à la fois.

Message : la lecture d'un livre de la collection Folio permet de voyager, de s'évader. La publicité utilise la métaphore de la croisière, d'où le verbe « embarquer » du slogan.

b) 1. Rien ne me fait voyager comme la musique classique ; 2. Personne ne m'impressionne comme les navigateurs en solitaire ; 3. Aucune ville au monde ne me plaît comme Kyoto.

6. a) Proposition de corrigé : Salut ! Je viens de rentrer de vacances et je suis dégoûté(e) : les séjours tout compris, plus jamais !... J'avais réservé une chambre double climatisée dans un hôtel de luxe. À notre arrivée à l'aéroport, il n'y avait personne pour nous accueillir. Au bout de trois heures, on a fini par trouver l'hôtel mais il n'y avait plus aucune chambre avec la climatisation ! On nous a donné une chambre double toute simple, mais pas de terrasse ni de vue sur les montagnes... par contre une vue imprenable sur le mur de l'hôtel voisin et une chaleur insupportable ! On voulait faire du tennis mais il n'y avait plus de courts disponibles, et le terrain de golf était minuscule et pas entretenu ! La piscine n'était pas très belle non plus... Mais ce n'est pas fini : on s'est renseigné pour faire des visites guidées et des circuits dans le désert, mais là encore, aucun guide n'était disponible. Du coup, on n'a rien fait, rien vu, rien visité ! Bref, un séjour nul !!...

b) Réponse libre.

Points de vue sur...   p. 89-90

1. a) 1. Voyager à pied, en voiture ou en train, sur la Route de la soie, sur les routes glacées proches du pôle Nord ou du pôle Sud, dans le désert, en bateau d'île en île, ou encore en avion. 2. Voguer, explorer, prendre la route, courir, faire un circuit, aller vers l'ouest, survoler, remonter, virer, plonger, partir, arriver, atterrir, tourner autour du globe, faire un détour, rejoindre, filer. 3. Paris – Madrid – Buenos Aires – Santiago du Chili – Auckland – Sydney – Cairns – Hongkong – Osaka – Kyoto – Tokyo – Londres – Paris ; l'itinéraire va d'est en ouest pour tourner dans le sens de rotation de la Terre et éviter les problèmes de décalage horaire. 4. Contraste de climat/température entre Paris et Buenos Aires, entre Santiago du Chili et Sydney. Contraste de paysages entre la pampa et la cordillère des Andes, entre Sydney et Cairns. Contraste d'atmosphère entre Hongkong et Kyoto, entre Kyoto et Tokyo. 5. On conseille de se reposer une semaine. Ici, « atterrir » signifie « revenir à la réalité ».
b) Réponse libre
2. a) 1. circuit ; 2. désert ; 3. bagage ; 4. coutume
b) 1. guide ; 2. train ; 3. évasion
3. a) Photo 1 : Avantages : un voyage organisé est rassurant, on n'a pas peur de se perdre. C'est confortable et pratique parce qu'il y a un guide qui explique tout et parle la langue du pays, ça peut permettre de faire des rencontres sympathiques au sein du groupe. **Inconvénients :** on n'est pas libre d'aller où l'on veut, on est toujours dépendant du guide, les horaires sont contraignants, on visite très vite et superficiellement, on ne rencontre pas les gens du pays.
Photo 2 : Avantages : un voyage en auto-stop est bon marché et intéressant pour faire des rencontres, on prend son temps, on est libre et on a un véritable sentiment d'aventure. **Inconvénients :** on perd du temps, c'est

fatigant, c'est un peu dangereux parce qu'on peut tomber sur des gens mal intentionnés, on ne peut rien planifier, on n'est pas sûr d'arriver à destination.
Photo 3 : Avantages : un séjour à l'étranger en vivant avec la population locale permet de faire des rencontres et de tisser des liens, de découvrir une autre culture en profondeur, de vivre des expériences uniques. **Inconvénients :** ce n'est pas toujours confortable, le choc culturel peut être très fort et difficile à dépasser, c'est frustrant quand on ne parle pas bien la langue du pays, on est toujours considéré comme un étranger.
b) Réponse libre.

Outils pour...   p. 91-93

▶ Faire des recommandations

1. 1. c – 2. b – 3. e – 4. a – 5. d
2. 1. Il est indispensable de porter des vêtements légers mais couvrants qui permettent de se protéger des insectes ; 2. Évitez de voyager aux heures chaudes et privilégiez la découverte avec un guide ! ; 3. Soyez attentifs aux pickpockets dans les lieux très touristiques ! Il vaut mieux ne pas porter d'appareil photo en bandoulière et ne pas avoir beaucoup d'argent liquide ou d'objets de valeur sur soi ; 4. Il est essentiel d'être bien équipé contre le froid et la pluie et de porter de bonnes chaussures de marche, et il est recommandé de ne pas faire de randonnée si le temps est mauvais ; 5. Évitez d'aller dans les restaurants de chaîne très fréquentés par les touristes, privilégiez les petits restaurants à la cuisine authentique ; 6. Il est souhaitable de ne pas suivre n'importe quel guide à son arrivée. Sachez qu'il existe de faux guides qui vous feront payer les même visites beaucoup plus cher.
3. 1. Quand vous arrivez à destination dans le train, l'autocar ou le taxi ; 2. Quand vous parlez avec un(e) Français(e) ; 3. Si vous vous déplacez dans certains pays au réseau ferroviaire peu développé ; 4. Dans un quartier inconnu, peu éclairé et peu fréquenté ; 5. Dans une église, dans le train, dans le métro, au téléphone portable (en France)

▶ Faire une narration au passé

4. 1. Il **naquit** à Bruxelles en 1929, il **mourut** à Bobigny en 1978 ; 2. Il **a été** tour à tour chanteur, réalisateur, acteur et navigateur ; 3. Il **a cherché** à réaliser ses rêves et **a fait** une traversée en voilier jusqu'aux îles Marquises ; 4. Ils **descendirent** en hâte et **coururent** jusqu'à la gare ; 5. Quand elle **vit** se profiler un village à l'horizon, elle en **pleura** de joie ; 6. Il y **eut** des moments de doute et de découragement, mais ils **allèrent** jusqu'au bout.

5. Proposition de corrigé : James Cook **naquit** en Angleterre en 1728, dans une famille modeste. **Il fut embauché** dans la Royal Navy à l'âge de 27 ans. En 1759, **on le nomma** à la tête d'un navire et **il participa** au siège du Québec. En 1768, **il voyagea** vers Tahiti, puis en direction de la Nouvelle-Zélande et, deux ans plus tard, **il explora** l'Australie. **Il revint** alors en Angleterre. Dans les années qui **suivirent**, **il fit** de nombreux autres voyages dans les îles de l'Océanie en compagnie de scientifiques, d'astrologues et de botanistes. C'est en 1776 qu'**il partit** d'Hawaï vers le nord pour chercher, en vain, un « passage arctique ». **Il mourut** en 1779, assassiné par un Hawaïen.

6. Proposition de corrigé : Le voyage commença un matin d'avril. Isabelle voulait découvrir l'Asie, l'Orient. Elle prit l'avion et arriva en Inde, sa première destination. Elle visita Bombay et New Delhi. Elle fut éblouie par la splendeur du Taj Mahal, près d'Agra. Puis elle partit en direction du Cambodge, pour découvrir les temples d'Angkor. Elle n'avait jamais rien vu d'aussi impressionnant. Après l'histoire millénaire d'Angkor, elle fut plongée dans la modernité de HongKong. Elle rencontra des gens très sympathiques qui lui firent visiter la ville. Ils étaient propriétaires d'un restaurant français et l'embauchèrent comme serveuse. Elle y travailla pendant un mois. En juillet, elle prit l'avion pour l'Extrême-Orient et atterrit à Osaka, au Japon. Puis elle arriva à Kyoto. Ce fut le dépaysement total. Heureusement, elle avait des amis sur place qui la guidèrent dans ce pays fascinant et mystérieux. Au bout de quelques jours, elle trouva une famille japonaise qui cherchait une jeune fille française pour garder leur petit garçon de 2 ans. Elle travailla donc comme baby-sitter, puis comme professeur de français dans une école de langues pour adolescents. Elle en profita pour apprendre un peu de japonais. Puis elle repartit pour la Nouvelle-Calédonie et passa deux semaines au bord de la mer à se reposer, sur de magnifiques plages. Elle voulut ensuite connaître l'Amérique du Sud et choisit d'aller au Pérou. Elle prit le train et monta à pied jusqu'au temple du Machu Picchu. Là encore, elle fut éblouie par autant de beauté architecturale en pleine cordillère des Andes. Elle visita un peu le pays et reprit son voyage autour du monde le 15 octobre. Elle finit par le continent africain. Elle atterrit au Mali et s'engagea aussitôt dans une ONG humanitaire. Pendant deux mois, elle s'occupa d'enfants orphelins. Ce fut une expérience très dure mais passionnante. Enfin, elle termina son périple par une randonnée dans le désert mauritanien. Elle rentra chez elle le jour de Noël. Un beau cadeau pour ses proches !

PORTFOLIO

	À L'ORAL		À L'ÉCRIT	
	Acquis	En cours d'acquisition	Acquis	En cours d'acquisition

DOSSIER 1

Je peux comprendre

	Acquis (oral)	En cours (oral)	Acquis (écrit)	En cours (écrit)
– la publicité d'un site de relooking	☐	☐	☐	☐
– un mél donnant des conseils	☐	☐	☐	☐
– un site sur les qualités professionnelles	☐	☐	☐	☐
– une page de journal intime	☐	☐	☐	☐
– un mél faisant des éloges	☐	☐	☐	☐
– un article de magazine sur la liberté de changer	☐	☐	☐	☐
– un article de quotidien sur la chirurgie esthétique chez les politiques	☐	☐	☐	☐
– un court article de conseils sur la bonne entente dans une entreprise	☐	☐	☐	☐
– des témoignages pour ou contre la chirurgie esthétique chez les politiques	☐	☐	☐	☐
– un court extrait de pièce de théâtre	☐	☐	☐	☐

❋

– quelqu'un qui me parle de son apparence	☐	☐	☐	☐
– quelqu'un qui fait des éloges et des reproches	☐	☐	☐	☐
– quelqu'un qui parle de transformations par la chirurgie esthétique	☐	☐	☐	☐
– quelqu'un qui donne des conseils	☐	☐	☐	☐
– quelqu'un qui exprime des sentiments	☐	☐	☐	☐

Je peux m'exprimer et interagir

	☐	☐	☐	☐
– pour imaginer la fin d'un conte	☐	☐	☐	☐
– pour décrire mes comportements en ce qui concerne mon image	☐	☐	☐	☐
– pour donner des conseils sur l'image	☐	☐	☐	☐
– pour faire des éloges par mél	☐	☐	☐	☐
– pour faire des éloges et des reproches dans une situation professionnelle	☐	☐	☐	☐
– pour caractériser quelqu'un et parler de ses qualités professionnelles	☐	☐	☐	☐
– pour prendre position sur un choix vestimentaire	☐	☐	☐	☐
– pour échanger sur un sujet de société concernant le changement	☐	☐	☐	☐
– pour échanger sur l'influence de l'image chez nos politiques	☐	☐	☐	☐
– pour donner des conseils dans une situation professionnelle et amoureuse	☐	☐	☐	☐
– pour raconter une rencontre en exprimant ses sentiments	☐	☐	☐	☐
– pour interpréter une courte scène de théâtre sentimentale	☐	☐	☐	☐
– pour rédiger une page de conseils dans une brochure	☐	☐	☐	☐

DOSSIER 2

Je peux comprendre

– un poème de Prévert	☐	☐	☐	☐
– un site d'achat Internet	☐	☐	☐	☐
– un mél de réclamation	☐	☐	☐	☐
– des publicités caractérisant un produit	☐	☐	☐	☐
– une enquête sur les consommateurs	☐	☐	☐	☐
– différents points de vue sur la consommation	☐	☐	☐	☐
– un article d'information sur un site Internet	☐	☐	☐	☐
– un sketch humoristique	☐	☐	☐	☐

❋

– quelqu'un qui parle de ses habitudes d'achat et fait des comparaisons	☐	☐	☐	☐
– quelqu'un qui explique des opérations à faire sur Internet	☐	☐	☐	☐
– quelqu'un qui parle du rapport à l'argent des étudiants de son pays	☐	☐	☐	☐
– quelqu'un qui négocie le prix d'un achat en ligne	☐	☐	☐	☐
– quelqu'un qui vante les qualités d'un produit	☐	☐	☐	☐

	À L'ORAL		À L'ÉCRIT	
	Acquis	**En cours d'acquisition**	**Acquis**	**En cours d'acquisition**
– quelqu'un qui met en garde à propos d'un achat en ligne	☐	☐	☐	☐
– quelqu'un qui rapporte les paroles d'une autre personne	☐	☐	☐	☐

❊

Je peux m'exprimer et interagir

	À L'ORAL		À L'ÉCRIT	
	Acquis	En cours d'acquisition	Acquis	En cours d'acquisition
– pour parler de mes habitudes d'achat	☐	☐	☐	☐
– pour acheter sur un site d'achat	☐	☐	☐	☐
– pour écrire un mél de réclamation	☐	☐	☐	☐
– pour faire une réclamation dans un magasin	☐	☐	☐	☐
– pour définir des types de consommateurs	☐	☐	☐	☐
– pour raconter un achat	☐	☐	☐	☐
– pour faire des comparaisons	☐	☐	☐	☐
– pour caractériser un objet ou un service	☐	☐	☐	☐
– pour donner mon avis sur la consommation	☐	☐	☐	☐
– pour donner mon opinion sur un mode d'achat	☐	☐	☐	☐
– pour discuter un prix et vanter un produit	☐	☐	☐	☐
– pour mettre en garde à propos d'un achat en ligne	☐	☐	☐	☐
– pour rapporter les propos d'une autre personne	☐	☐	☐	☐
– pour réaliser la page d'un site Internet	☐	☐	☐	☐

DOSSIER 3

Je peux comprendre

	À L'ORAL		À L'ÉCRIT	
	Acquis	En cours d'acquisition	Acquis	En cours d'acquisition
– quand quelqu'un raconte un souvenir d'enfance lié à la transmission d'une expérience	☐	☐	☐	☐
– quand quelqu'un m'interroge sur mon parcours scolaire et professionnel	☐	☐	☐	☐
– quand quelqu'un présente son itinéraire scolaire et professionnel	☐	☐	☐	☐
– quand quelqu'un relate son expérience d'études dans un pays étranger	☐	☐	☐	☐
– quand quelqu'un donne des informations sur le fonctionnement de l'université française	☐	☐	☐	☐
– quand quelqu'un parle de son goût pour la lecture	☐	☐	☐	☐

❊

	À L'ORAL		À L'ÉCRIT	
– un texte littéraire qui relate une histoire personnelle d'apprentissage	☐	☐	☐	☐
– un formulaire d'inscription dans une université française	☐	☐	☐	☐
– le déroulement des études en France	☐	☐	☐	☐
– une demande de conseils par courrier dans le cadre des études	☐	☐	☐	☐
– des conseils pour s'intégrer dans un contexte scolaire français	☐	☐	☐	☐
– des articles traitant de l'apprentissage	☐	☐	☐	☐
– une publicité présentant l'histoire d'une institution universitaire	☐	☐	☐	☐
– des échanges critiques sur l'université en France	☐	☐	☐	☐
– un tract de protestation	☐	☐	☐	☐
– un extrait de théâtre variant les formes d'expressivité	☐	☐	☐	☐

Je peux m'exprimer et interagir

	À L'ORAL		À L'ÉCRIT	
– quand quelqu'un me demande de relater mon parcours scolaire et professionnel	☐	☐	☐	☐
– quand quelqu'un m'interroge sur les procédures d'inscription dans une université française	☐	☐	☐	☐
– quand quelqu'un me demande ce que je pense de la lecture	☐	☐	☐	☐
– quand quelqu'un m'interroge sur les modalités d'apprentissage dans mon pays	☐	☐	☐	☐

	À L'ORAL		À L'ÉCRIT	
	Acquis	En cours d'acquisition	Acquis	En cours d'acquisition
❊				
– pour présenter mes manières d'apprendre et de mémoriser	☐	☐	☐	☐
– pour défendre mes goûts en matière de lecture et d'apprentissage	☐	☐	☐	☐
– pour expliquer un dessin humoristique sur le thème de l'université en France	☐	☐	☐	☐
– pour demander des informations sur les modalités d'inscription dans une école	☐	☐	☐	☐
– pour transmettre mes expériences et les valoriser	☐	☐	☐	☐
– pour donner des conseils et suggérer différents moyens d'apprendre	☐	☐	☐	☐
– pour m'opposer à un point de vue que je désapprouve et le discuter	☐	☐	☐	☐
– pour enseigner en français les étapes élémentaires d'un savoir-faire que je maîtrise	☐	☐	☐	☐
– pour interroger et négocier une réponse à une énigme	☐	☐	☐	☐
– pour encourager des interlocuteurs dans un processus d'apprentissage	☐	☐	☐	☐

DOSSIER 4

Je peux comprendre

	À L'ORAL		À L'ÉCRIT	
– quand quelqu'un me demande mes habitudes et mes goûts en matière de presse	☐	☐	☐	☐
– quand quelqu'un me demande mon opinion sur le traitement des informations dans les médias	☐	☐	☐	☐
– quand quelqu'un m'interroge sur des informations d'actualité de mon pays	☐	☐	☐	☐
– quand quelqu'un parle de la presse dans son pays	☐	☐	☐	☐
– quand un journaliste présente des informations dans différentes rubriques	☐	☐	☐	☐
– quand des journaux traitent différemment une même information (je peux identifier des points de vue différents sur une même information)	☐	☐	☐	☐
❊				
– un extrait de théâtre qui évoque le traitement de l'information par les médias	☐	☐	☐	☐
– des interventions contrastées sur la lecture de la presse	☐	☐	☐	☐
– des portraits de lecteurs de presse	☐	☐	☐	☐
– une correspondance privée donnant des informations	☐	☐	☐	☐
– des flashs d'information français et francophones	☐	☐	☐	☐
– des accents et des expressions de différents pays francophones	☐	☐	☐	☐
– des titres de presse	☐	☐	☐	☐
– l'organisation d'un article de presse	☐	☐	☐	☐
– des articles narratifs relatant des faits divers	☐	☐	☐	☐
– des points de vue différents sur un fait d'actualité	☐	☐	☐	☐
– un locuteur étranger parlant de la presse				
– des articles présentant les causes et les conséquences d'un événement	☐	☐	☐	☐
– des informations probables mais non confirmées	☐	☐	☐	☐

Je peux m'exprimer et interagir

	À L'ORAL		À L'ÉCRIT	
– quand quelqu'un me demande mes habitudes et mes goûts en matière de lecture de la presse	☐	☐	☐	☐
– quand quelqu'un me demande de présenter les faits d'actualité qui m'intéressent	☐	☐	☐	☐
– quand quelqu'un me demande de donner des informations sur mon pays	☐	☐	☐	☐
– quand quelqu'un me demande mon opinion sur un fait d'actualité	☐	☐	☐	☐
– quand quelqu'un me demande de relater un événement	☐	☐	☐	☐
❊				

	À L'ORAL		À L'ÉCRIT	
	Acquis	En cours d'acquisition	Acquis	En cours d'acquisition
– pour relancer un échange d'informations	☐	☐	☐	☐
– pour souligner l'importance d'un événement et en débattre	☐	☐	☐	☐
– pour valoriser des causes, des conséquences, des résultats liés à des événements d'actualité	☐	☐	☐	☐
– pour évoquer des événements probables mais non confirmés	☐	☐	☐	☐
– pour choisir des informations intéressant un lecteur étranger	☐	☐	☐	☐
– pour présenter et développer des faits d'actualité	☐	☐	☐	☐
– pour répondre à des demandes sur des faits d'actualité connus	☐	☐	☐	☐
– pour analyser (dans les images et dans les textes) des manières d'informer	☐	☐	☐	☐
– pour faciliter chez un auditeur étranger la compréhension d'événements qu'il ne connaît pas	☐	☐	☐	☐
– pour discuter et négocier des choix à faire dans la présentation de faits d'actualité	☐	☐	☐	☐

DOSSIER 5

Je peux comprendre

	À L'ORAL		À L'ÉCRIT	
– quand quelqu'un exprime des revendications	☐	☐	☐	☐
– quand quelqu'un me demande de prendre position sur un sujet polémique	☐	☐	☐	☐
– quand quelqu'un me demande des précisions sur mon engagement	☐	☐	☐	☐
– quand quelqu'un sollicite ma participation, mon aide, ma collaboration	☐	☐	☐	☐
– quand quelqu'un raconte un événement collectif qui l'a impressionné	☐	☐	☐	☐
– quand quelqu'un présente ses motivations pour défendre une cause	☐	☐	☐	☐
– quand quelqu'un demande de soutenir une cause importante	☐	☐	☐	☐
❋				
– des textes de nature différente incitant à l'action	☐	☐	☐	☐
– des pétitions pour défendre, protéger un espace, un groupe, une manifestation culturelle	☐	☐	☐	☐
– des incitations diverses (tracts, pétitions, correspondance, publicités) à se mobiliser	☐	☐	☐	☐
– un article analysant les phénomènes de rassemblement populaire	☐	☐	☐	☐
– des messages et des publicités faisant appel à la solidarité	☐	☐	☐	☐
– des récits d'implication et d'engagement	☐	☐	☐	☐
– des expressions variées de revendications (chanson, discours, poème, slogans...)	☐	☐	☐	☐
– un extrait de théâtre parlant d'engagement politique	☐	☐	☐	☐

Je peux m'exprimer et interagir

	À L'ORAL		À L'ÉCRIT	
– quand quelqu'un demande mon opinion sur des sujets polémiques	☐	☐	☐	☐
– quand quelqu'un me demande de défendre mes prises de position	☐	☐	☐	☐
– quand quelqu'un me demande de raconter les grands événements qui m'ont mobilisé(e)	☐	☐	☐	☐
– quand quelqu'un me demande de parler de mes objectifs, mes buts, mes engagements	☐	☐	☐	☐
– quand quelqu'un n'est pas d'accord avec moi sur mes options et mes moyens d'agir	☐	☐	☐	☐
❋				
– pour soutenir une cause qui m'intéresse	☐	☐	☐	☐
– pour demander des détails sur un cas, une situation	☐	☐	☐	☐
– pour donner ou réserver mon adhésion	☐	☐	☐	☐
– pour encourager et aider des interlocuteurs en difficulté	☐	☐	☐	☐

	À L'ORAL		À L'ÉCRIT	
	Acquis	**En cours d'acquisition**	**Acquis**	**En cours d'acquisition**
– pour solliciter de l'aide	☐	☐	☐	☐
– pour exprimer des intentions, des buts	☐	☐	☐	☐
– pour justifier mes prises de position	☐	☐	☐	☐
– pour demander des précisions sur des intentions	☐	☐	☐	☐
– pour convaincre un interlocuteur de l'importance d'une cause	☐	☐	☐	☐
– pour présenter des causes qui valent la peine de s'engager	☐	☐	☐	☐
– pour préparer (proposer, discuter, négocier, choisir) avec d'autres personnes un programme de solidarité	☐	☐	☐	☐

DOSSIER 6

Je peux comprendre

	À L'ORAL		À L'ÉCRIT	
– la description de tableaux	☐	☐	☐	☐
– le mouvement auquel appartiennent les peintres	☐	☐	☐	☐
– des programmes de divertissement	☐	☐	☐	☐
– une lettre amicale proposant un programme	☐	☐	☐	☐
– l'interview d'un artiste	☐	☐	☐	☐
– un quiz de culture générale	☐	☐	☐	☐
– des critiques de spectacles (cinéma, théâtre, exposition)	☐	☐	☐	☐
– des citations sur l'art	☐	☐	☐	☐
– un court extrait de film	☐	☐	☐	☐

❋

	À L'ORAL		À L'ÉCRIT	
– quelqu'un qui présente un programme de spectacles	☐	☐	☐	☐
– quelqu'un qui pose des questions dans une interview	☐	☐	☐	☐
– plusieurs personnes participant à un débat	☐	☐	☐	☐
– quelqu'un qui incite à aller voir un spectacle	☐	☐	☐	☐

Je peux m'exprimer et interagir

	À L'ORAL		À L'ÉCRIT	
– pour décrire un tableau	☐	☐	☐	☐
– pour parler d'artistes français et de leurs œuvres majeures	☐	☐	☐	☐
– pour présenter un spectacle	☐	☐	☐	☐
– pour proposer un programme culturel dans une lettre amicale	☐	☐	☐	☐
– pour interviewer un artiste	☐	☐	☐	☐
– pour poser des questions de culture générale	☐	☐	☐	☐
– pour faire la critique d'un spectacle	☐	☐	☐	☐
– pour débattre autour d'un spectacle	☐	☐	☐	☐
– pour montrer mon intérêt ou mon désintérêt	☐	☐	☐	☐
– pour débattre autour d'une œuvre d'art	☐	☐	☐	☐
– pour jouer une scène de film	☐	☐	☐	☐
– pour écrire la biographie d'un artiste	☐	☐	☐	☐
– pour faire le commentaire critique d'une œuvre	☐	☐	☐	☐

DOSSIER 7

Je peux comprendre

	À L'ORAL		À L'ÉCRIT	
– une chanson d'Alain Souchon	☐	☐	☐	☐
– un compte-rendu de stage	☐	☐	☐	☐
– le débat d'un conseil de quartier	☐	☐	☐	☐
– les commentaires d'un forum sur l'environnement	☐	☐	☐	☐
– des avis sur des problèmes écologiques	☐	☐	☐	☐
– un article sur un village écologique	☐	☐	☐	☐
– un règlement	☐	☐	☐	☐

	À L'ORAL		À L'ÉCRIT	
	Acquis	En cours d'acquisition	Acquis	En cours d'acquisition
– un test sur l'écologie	☐	☐	☐	☐
– un extrait de film	☐	☐	☐	☐
❄				
– quelqu'un qui parle des gestes utiles pour préserver la planète	☐	☐	☐	☐
– quelqu'un qui parle de l'écologie en Allemagne	☐	☐	☐	☐
– quelqu'un qui exprime un désir	☐	☐	☐	☐
– quelqu'un qui exprime une information non confirmée	☐	☐	☐	☐
– quelqu'un qui fait une demande polie	☐	☐	☐	☐
– quelqu'un qui exprime une suggestion atténuée	☐	☐	☐	☐
– quelqu'un qui exprime un regret	☐	☐	☐	☐
– quelqu'un qui fait des prédictions	☐	☐	☐	☐
– quelqu'un qui fait des reproches	☐	☐	☐	☐
– quelqu'un qui fait des hypothèses sur le passé, le présent et le futur	☐	☐	☐	☐
– quelqu'un qui exprime un avis pour ou contre une mesure	☐	☐	☐	☐

Je peux m'exprimer et interagir

	À L'ORAL		À L'ÉCRIT	
– pour rédiger un couplet de chanson	☐	☐	☐	☐
– pour décrire mes comportements pour préserver la planète	☐	☐	☐	☐
– pour faire un compte-rendu de stage	☐	☐	☐	☐
– pour donner mon point de vue sur un problème lié à l'environnement	☐	☐	☐	☐
– pour faire des hypothèses	☐	☐	☐	☐
– pour faire des reproches	☐	☐	☐	☐
– pour faire des suggestions	☐	☐	☐	☐
– pour comparer avec la situation dans mon pays	☐	☐	☐	☐
– pour rédiger un règlement et interdire	☐	☐	☐	☐
– pour poser des questions sur l'environnement	☐	☐	☐	☐
– pour jouer à un jeu de l'oie sur l'écologie	☐	☐	☐	☐

DOSSIER 8

Je peux comprendre

	À L'ORAL		À L'ÉCRIT	
– quand quelqu'un expose des cas de justice « ordinaire »	☐	☐	☐	☐
– quand quelqu'un conteste une amende, une condamnation	☐	☐	☐	☐
– quand quelqu'un exprime ses doutes et ses certitudes	☐	☐	☐	☐
– quand quelqu'un raconte son expérience de la justice	☐	☐	☐	☐
– quand quelqu'un présente un cas de justice civile (divorce, pension alimentaire, licenciement...)	☐	☐	☐	☐
– quand quelqu'un défend un accusé	☐	☐	☐	☐
– quand quelqu'un accuse une personne	☐	☐	☐	☐
❄				
– un extrait de roman policier	☐	☐	☐	☐
– le résumé d'une intrigue	☐	☐	☐	☐
– des cas de contravention	☐	☐	☐	☐
– des faits divers de justice dans la presse	☐	☐	☐	☐
– une lettre de contestation	☐	☐	☐	☐
– la composition d'une cour d'assises en France	☐	☐	☐	☐
– des points de vue contrastés sur des fictions télévisuelles basées sur des faits judiciaires réels	☐	☐	☐	☐
– un interlocuteur étranger qui compare deux systèmes judiciaires	☐	☐	☐	☐
– les étapes d'un récit sur un événement dramatique de l'histoire	☐	☐	☐	☐
– une démonstration qui reconstitue un raisonnement déductif	☐	☐	☐	☐

	À L'ORAL		À L'ÉCRIT	
	Acquis	**En cours d'acquisition**	**Acquis**	**En cours d'acquisition**
– le vocabulaire caractéristique des romans policiers	☐	☐	☐	☐
– un scénario de film qui présente l'interrogatoire d'un suspect	☐	☐	☐	☐

Je peux m'exprimer et interagir

– quand quelqu'un me demande de présenter un cas de justice	☐	☐	☐	☐
– quand quelqu'un me demande de résumer des événements et de témoigner	☐	☐	☐	☐
– quand quelqu'un me demande de parler de la justice dans mon pays	☐	☐	☐	☐
– quand quelqu'un m'interroge sur mes doutes et mes certitudes	☐	☐	☐	☐
– quand quelqu'un veut des précisions sur le déroulement chronologique d'une histoire	☐	☐	☐	☐
❄				
– pour débattre d'un cas de justice ordinaire	☐	☐	☐	☐
– pour accuser et défendre quelqu'un	☐	☐	☐	☐
– pour parler des héros de romans policiers que je connais	☐	☐	☐	☐
– pour contester une décision et me défendre contre une injustice	☐	☐	☐	☐
– pour discuter de l'image de la justice dans les médias	☐	☐	☐	☐
– pour exprimer mon opinion sur le rôle de juré	☐	☐	☐	☐
– pour faire une démonstration logique	☐	☐	☐	☐
– pour résumer une intrigue policière	☐	☐	☐	☐
– pour construire un épisode de film	☐	☐	☐	☐

DOSSIER 9

Je peux comprendre

Je peux comprendre	☐	☐	☐	☐
– une nouvelle de science fiction	☐	☐	☐	☐
– des brochures publicitaires sur des circuits dans des pays francophones	☐	☐	☐	☐
– un texte littéraire sur la découverte d'un pays	☐	☐	☐	☐
– trois textes littéraires sur la magie du dépaysement	☐	☐	☐	☐
– une anecdote de voyage	☐	☐	☐	☐
– une scène de pièce de théâtre	☐	☐	☐	☐
❄				
– quelqu'un qui raconte ses comportements en voyage	☐	☐	☐	☐
– quelqu'un qui explique un problème de réservation au téléphone	☐	☐	☐	☐
– quelqu'un qui raconte un voyage raté	☐	☐	☐	☐
– quelqu'un qui raconte ses surprises et ses découvertes en voyage	☐	☐	☐	☐
– quelqu'un qui fait des recommandations	☐	☐	☐	☐

Je peux m'exprimer et interagir

– pour écrire une courte nouvelle	☐	☐	☐	☐
– pour parler de mes comportements de voyageur/voyageuse	☐	☐	☐	☐
– pour faire la description d'un circuit	☐	☐	☐	☐
– pour résoudre un problème au téléphone	☐	☐	☐	☐
– pour écrire sur les coutumes de mon pays	☐	☐	☐	☐
– pour faire des recommandations	☐	☐	☐	☐
– pour rédiger un texte sur la découverte d'un pays	☐	☐	☐	☐
– pour faire un quiz sur un pays francophone	☐	☐	☐	☐
– pour rédiger un dépliant touristique	☐	☐	☐	☐

Imprimé en Italie par Rotolito Lomabarda
Dépôt légal : 81314 n° 05/2010 - Collection n° 05 - Édition 07
15/5513/5